O fim da ilusão

Fabio SantoS

O fim da ilusão

1ª edição

São Paulo

Fabio Borges dos Santos

2020

Dados Internacionais de Catalogação na Publicação (CIP)
(Câmara Brasileira do Livro, SP, Brasil)

Santos, Fabio.

O fim da ilusão / Fabio Santos. — 1ª ed. — São Paulo: Fabio Borges dos Santos, 2020.

Bibliografia.
ISBN 978-85-540954-3-7

1. Consciência. 2. Crescimento espiritual. 3. Espiritualidade. 4. Evolução humana. 5. Filosofia. 6. Religião. 6. Universo. I. Título.

20-33687 CDD-113.8

Índices para catálogo sistemático:
1. Filosofia de vida 113.8

Cibele Maria Dias - Bibliotecária - CRB-8/9427

Edição impressa
ISBN 978-85-540954-3-7

Edição
Karina Rempto

Capa e editoração
Richard Veiga

O FIM DA ILUSÃO

1ª edição: abril de 2020

Edição em PDF: abril de 2020

"Os futuristas dizem que o século XX e o século XXI nasceram na cabeça de Nikola Tesla. Eles mantêm o campo magnético ao contrário e cantam hinos ao motor de indução. Seu criador foi chamado de 'o caçador que capturou a luz em suas redes das profundezas da terra' e 'o guerreiro que pegou fogo do céu'. Dizem que ele é o pai da corrente alternada, que fará física e química. A química domina metade do mundo. A indústria o proclamará como seu santo supremo, um banqueiro para os maiores benfeitores. No laboratório de Nikola Tesla, pela primeira vez, um átomo foi quebrado. Uma arma foi criada que produz vibrações sísmicas. Lá, raios cósmicos negros foram descobertos. Cinco raças rezarão para ele no templo do futuro, porque ele lhes ensinou um grande segredo: que os elementos de Empédocles possam ser regados com as forças vitais dos éteres."

John Smith (Revista Immortality, 1899)

ÍNDICE

Prefácio **11**

Introdução **13**

Capítulo 1

SUPERUNIVERSOS **21**

Nebadon, o nosso cantinho. 24

Tribunais de justiça. 25

Capítulo 2

O DNA HUMANO. **27**

A origem 28

Ouro Monoatômico. 29

A Guerra de Lira 30

A criação de Gaia. 31

A destruição de Maldek 39
O fim dos dinossauros. 41
Criação dos humanos terrestres 44
A estrutura do DNA 46
CRISPR-Cas9 50
O cérebro humano 51
Cérebro reptiliano 57
A pirâmide de Maslow 59
Frequências da composição corporal humana. 61

Capítulo 3

O DNA CÓSMICO. 65

O Projeto Metron. 69
O livre-arbítrio 71
Hierarquias espirituais 73
Os Arcontes 77
Mais sobre a Guerra de Orion 80
Frequências planetárias 87
A ativação do DNA adormecido 89
DNA, luz e campos magnéticos 94

Capítulo 4

GEOMETRIA SAGRADA 99

A Flor da Vida e o início de tudo 100
Além dos dezenove círculos 107
O cubo de Metatron 109
A matemática do Todo 110
Energias Feminina e Masculina no Universo. 112
Geometria e Dimensões 116
Chacras 122
A proporção geométrica consciencial 126

Capítulo 5

GRAVIDADE . . . 131

A gravidade e o tempo . . . 136
O centro gravitacional dos universos . . . 137
Tecnologia de viagem no tempo e portais . . . 139
Constante de Planck . . . 142

Capítulo 6

OS DIRETORES DA PRISÃO . . . 147

Capítulo 7

A REBELIÃO DE LÚCIFER . . . 155

Capítulo 8

O QUE O SGS NÃO QUER QUE VOCÊ SAIBA . . . 167

"Epstein não se matou" . . . 171
Príncipe Andrew . . . 175
Inauguração de túnel na Suíça . . . 177
Ritual na frente do CERN . . . 179
Deturpação do masculino x do feminino . . . 180
Marte e o Quarto Reich . . . 184
Projeto *Blue Book* . . . 186
Projeto *Blue Beam* . . . 187
Projeto *Looking Glass* . . . 189
Projeto Montauk . . . 190
Engenharia do consentimento . . . 191
Como identificar uma *fake news* . . . 192
Dominando a energia do dinheiro . . . 199

Capítulo 9

AS RELIGIÕES E OS BLOQUEIOS IMPOSTOS. 205

Revogando contratos 219

Capítulo 10

IA – INTELIGÊNCIA ARTIFICIAL. 225

Capítulo 11

JESUS, UM CRISTO 239

O motivo da vinda 242
Preparação 243
Autorização de entrada 245
A chegada 246
Infância, adolescência e vida adulta 251
Preparando-se para a missão 256
O Batismo 256
A missão 257
Crucificação 258
Pós-crucificação 261
Conclusões finais da história de Jesus 262

NIKOLA TESLA 263

Referências 270

PREFÁCIO

por Carina Greco

Vivemos atualmente a época do "nunca antes". Nunca antes tivemos tanto acesso a informações. Mas parece que, por outro lado, os paradoxos nunca nos abandonaram ou talvez o equilíbrio se manifeste entre tanta informação e desinformação.

Afinal, nada sabemos concretamente e talvez seja nossa mais importante missão abrir as comportas de uma "verdade" que nos ajude a nos encontrar e viver a nossa própria história.

Quem somos realmente? O que representamos perante o Universo? Qual é a "máquina" que movimenta os sistemas religiosos, políticos e econômicos? Porque estamos literalmente "isolados", não somente no que se refere ao espaço, mas também na conexão espiritual? Até que ponto chega a manipulação?

É difícil chegar a conclusões e respostas, mas mais difícil ainda é tentar formatar as ideias e conceitos que possam de alguma forma preencher essas dúvidas em outras pessoas.

Porém, quando a esperança, a força e a vontade "despertam" no coração de uma consciência, mesmo que num planeta e civilização como a nossa, se produz um movimento ímpar no seu campo quântico. Alguma coisa parecida com a superposição de chaves e formas que reescrevem na nossa memória os segredos da Vida.

E ainda que, faltem as palavras para descrever a grandiosidade da Obra prima, que pode ser "vislumbrada", vivemos esses instantes, certos de que podemos sim "agarrar" essas chaves e abrir definitivamente as portas do Despertar que tanto almejamos.

Na junção dos seus conhecimentos e conexão interna, o Fabio nos brinda, a partir do seu coração, numa linguagem clara e contundente. A oportunidade de ordenar em nossas vidas conceitos e ideias que nos ajudem a nos conhecer melhor, a saber, onde estamos realmente e quais são as "forças" que literalmente tem as rédeas da história.

Na medida em que vamos compreendendo tudo isso, nossa consciência se expande, a nossa frequência se transforma e despertamos, para poder ouvir e compreender a música das formas que estruturam nosso código genético e que o faz tão sagrado como a geometria da Vida.

Carina Greco

INTRODUÇÃO

Na primeira vez que eu fui convidado a realizar este trabalho que estou fazendo agora, de "facilitador do Despertar", eu declinei. Não queria largar a vida que tinha: um bom emprego, carro, casa, estabilidade, tudo aparentemente perfeito. Mas dai veio "a vida" e me mostrou que o aparente "convite", não era uma opção, mas uma obrigação.

Demorou sete anos, mas entendi o recado ate abraçar finalmente o trabalho que tenho agora. Entendi, também, que era "agora ou nunca", pois não há mais tempo para ficar brincando de "casinha" aqui na Terra. Por isso, entendo você, querido leitor, quando ignora alguma informação ou deixa pra lá algumas coisas relacionadas ao despertar.

O problema é que não temos mais sete anos pela frente. A era do Despertar é agora e precisamos acordar num curto espaço de tempo para não colocar a perder milênios encantatórios nesse planeta prisão chamado Terra.

Para me ajudar e ajudar os demais nesse processo do Despertar, eu publiquei em 2018 o livro *A Resposta Para Tudo*, hoje em dia em sua segunda edição. Ele tem a finalidade de servir tanto como um primeiro passo para quem está se descobrindo na espiritualidade, quanto um guia de estudos para quem já está pesquisando há algum tempo, mas anda um pouco perdido com tanta informação de todos os lados nos dias de hoje. Ele seria a fundação do Despertar, a base.

O Fim da Ilusão faz parte de uma segunda etapa desse processo do Despertar da Consciência. O conhecimento que você terá acesso agora serve para a aceleração do processo; a construção do despertar em cima do alicerce firme e sem "buracos" que foi feito no *Resposta* e, consequentemente nos meus cursos Despertar Galáctico 1 e no primeiro módulo *online* do Despertar 2.0.

Esse material, entre diversas fontes aqui listadas durante a leitura, é também baseado num estudo que se encontra no canal do *YouTube Caminando el Sendero* intitulado *A saga Annunaki*. O que eu fiz em meus estudos foi pegar o excelente trabalho feito nos vídeos, traduzir, corrigir, atualizar e complementar as informações baseadas nos estudos mais recentes sobre os assuntos abordados. Seguimos a mesma lógica, vamos dividir em capítulos para facilitar. A Cassiana Debiasi publicou vídeos com as traduções desse mesmo trabalho em português em seu canal do *YouTube*, a diferença, como disse, são as minhas atualizações e complementações.

Esse material da *Saga Annunaki*, além de trazer informações de seu autor Bertus, assim como, também, referências de pessoas como Corey Goode, David Wilcock, David Ike, Robson Pinheiro, Dr. Steven Greer, Hélio Couto entre outros – inclusive meus próprios *insights* e muitas referências do meu primeiro livro para que o assunto abordado esteja o mais claro possível.

Essa "saga" fala da criação do Universo desde o *Big Bang*, passando pela criação dos diferentes mundos e civilizações. Tendo o foco na história terrestre, utilizando quando possível o conhecimento atual da humanidade em física quântica, visando pensar a existência não apenas do universo como concebemos hoje, mas também, da existência de multiversos.

Neste livro, também vamos utilizar o *Livro de Urantia* como referência, nos desviando da tendência religiosa e parcialidade na análise de algumas informações que traz.

Agora chegou a hora de darmos um passo importante para a abertura da nossa consciência. Nosso planeta já está, há alguns anos, passando por uma transformação energética importante, principalmente depois da entrada do Sistema solar no Cinturão de Fótons, fazendo com que todos os campos magnéticos de todos os planetas se agitassem – incluindo nossa estrela, o sol. Podemos observar os efeitos na frequência Schumann terrestre que, frequentemente, atinge números inimagináveis há alguns anos.

Mas toda essa mudança de frequência que vem de fora para dentro da Terra, nada mais é do que um "pé na bunda" galáctico para acordarmos depressa. Agora, cabe a nós fazermos a nossa parte de dentro para fora e completar o verdadeiro Despertar da Consciência.

Chegou a hora, não há mais tempo. Não dá mais para acreditar em "gurus pseudodespertos" ou "salvadores da pátria", religiosos ou não, todos agentes da "não luz" que gostam de terceirizar nosso Despertar. Já passou da hora de assumirmos o controle da nossa vida, declarando nossa independência espiritual completa e irrestrita, largando mão de todos os dogmas, religiões, cultos, líderes, receitas de bolo, ancoramentos ou o que quer que não seja nosso EU SOU.

Devemos escutar todos os lados das histórias e absorvermos o melhor de cada um que passa na nossa vida e nos nossos estudos, sempre passando toda informação sob o crivo da razão (mental) e da emoção (cardíaco).

Neste livro em particular, resolvi fazer uma homenagem a um dos maiores gênios e uma das consciências mais elevadas que já passaram por este planeta - se não também a mais injustiçada: Nikola Tesla.

Todo capítulo deste livro terá em seu início uma citação desse gênio. Um ser incrível, com um pensamento infinitamente à frente do seu tempo em todos os sentidos possíveis e imagináveis, desde o cientifico até o espiritual.

Nenhuma homenagem que eu fizer aqui, citação ou informação vai fazer jus ao que ele realmente representa para a humanidade. Portanto, pesquisem sobre ele, sua vida, seus pensamentos, suas invenções. Não foi à toa que o Governo Secreto praticamente apagou todas as referências a Tesla dos livros de escola e de história, muitas vezes, dando crédito a quem os servia.

Outro ilustre personagem que toco nesta obra é Jesus Cristo. Finalmente resolvi falar nessa figura histórica e mística. Esperei o momento em que acredito ser mais propício, pois precisamos analisar sua vida e sua origem já libertos de crenças e dogmas. Mas, não se iluda! Prepare-se para rejeitar informações e ser surpreendido pelo seu subconsciente. Esteja atento.

Alias, esteja atento durante todo este livro, que deve ser usado não somente como leitura, mas sim, como base para estudo, mais uma vez, assim como foi o *Resposta*. Pesquisem, vão atrás das informações. Mais uma vez, vocês são os juízes.

A minha função como "facilitador do Despertar" é mantê-los informados e motivados na caminhada. Tem uma passagem de Buda, e que gosto muito, que ilustra bem o que estou falando. Chama-se "o dia em que Buda se perdeu":

Buda estava viajando com seu discípulo Ananda e os dois estavam bem cansados. Eles queriam chegar ao próximo vilarejo antes do pôr do sol e estavam andando o mais rápido possível, mas Buda já estava ficando velho e Ananda era ainda mais velho que ele.

Eles estavam preocupados que talvez tivessem que passar a noite na floresta e que não seria possível chegar ao próximo vilarejo como haviam planejado.

Eles então passam por uma fazenda e avistam um homem trabalhando no campo e resolvem perguntar a ele: quão longe está o próximo vilarejo? O homem responde: não está longe, não se preocupem, somente mais dois quilômetros no máximo. Vocês chegarão lá antes do fim do dia, não se preocupem.

Buda sorri. O fazendeiro sorri. Ananda não entendia o que estava acontecendo e perguntava a si o que estaria acontecendo.

Eles seguem a caminhada e já se passava os dois quilômetros e nenhuma cidade estava à vista. Agora, eles se encontravam ainda mais cansados, quando avistaram uma senhora carregando lenha na beira da estrada e Ananda decide perguntar a ela.

"O próximo vilarejo está longe?". A senhora então responde: "não está longe, não se preocupem, somente mais dois quilômetros no máximo. Vocês praticamente chegaram lá, não se preocupem."

Buda sorri. A senhora sorri. Ananda então olha para os dois e diz: por que vocês estão sorrindo?

Mais dois quilômetros se passa e nada de vilarejo ou sinal de alguma cidade. Eles perguntam a um terceiro homem e de novo, a mesma situação e a mesma resposta.

Ananda então larga sua mochila no chão e diz: "eu não vou dar mais nenhum passo, estou muito cansado e parece que a gente nunca vai chegar nesses dois quilômetros que faltam. Já acreditamos nessa história três vezes e nada. Mas uma questão não sai da minha cabeça."

Vivendo com Buda por mais de quarenta anos ele aprendeu a não fazer perguntas desnecessárias, mas naquele momento ele diz: "eu não sei se é uma pergunta necessária ou não, mas preciso saber... você tem que me dizer... por que você sorriu quando o senhor disse que faltavam apenas dois quilômetros para chegarmos, depois novamente com a senhora e ela também sorriu e depois de novo com a terceira pessoa a mesma situação. O que é esse sorriso? O que acontece entre vocês? Vocês não se conhecem...".

Buda então sorri mais uma vez e diz: "nosso trabalho é o mesmo. Quando eu sorrio, eles sorriem. Nós temos que manter as pessoas motivadas e focadas... somente mais dois quilômetros, só mais um pouquinho. Eu estou fazendo isso a minha vida inteira. Somente assim as pessoas chegam ao destino. Mas, se desde o começo eu falasse que faltariam quinze quilômetros, eles desistiriam na hora ou momentos depois... mas de dois em dois quilômetros, eles caminharão duzentos quilômetros. Eu sorri com essas pessoas, porque eu conheço esses vilarejos, eu já estive aqui. Eu sei que não faltam somente dois quilômetros. Mas eu fiquei em silêncio porque você estava com tanta pressa em chegar e saber quanto faltava e eu sabia que não chegaríamos hoje. Essas pessoas têm muita compaixão... eles não estavam mentindo. Eles estavam simplesmente motivando você. O primeiro senhor te levou a dois quilômetros adiante. Depois a senhora mais dois e o terceiro homem mais dois. Você precisaria somente de mais algumas pessoas e alcançaria a cidade! Agora você já colocou sua mala no chão, não tem problema. A gente pode ficar debaixo dessa grande árvore aqui... afinal, a cidade está a apenas dois quilômetros."

Aproveitem a leitura. Estudem. Estamos quase despertando. Faltam apenas... dois quilômetros.

Capítulo 1

SUPERUNIVERSOS

"Que energia, estelar ou terrestre, pode alimentar os famintos na Terra? Com que vinho a sede pode ser regada, para que as pessoas possam animar seu coração e entender que são deuses?"

Nikola Tesla

Dentro da teoria dos Multiversos, a ciência busca por provas de que, na verdade, exista mais de um Universo ou, quem sabe, infinitos universos paralelos ao nosso.

Do lado da espiritualidade e metafísica, falamos em sete Superuniversos para começar a história (um oitavo estaria sendo criado, mas isso é assunto para um outro momento). Cada qual com suas dimensões, realidades paralelas e distintas leis. Como já estudado no livro "A Resposta Para Tudo" vimos que a Fonte, na sua necessidade eterna de novas experiências, se desdobra e convoca seus Filhos Criadores para executar esse novo projeto de experiência; assim nasce um novo universo.

Dentro do conhecimento atual que temos, principalmente baseado no Livro de Urantia e alguns outros estudos paralelos derivados do mesmo, é sabido que existam sete Superuniversos. O nosso, chamado Orvoton, seria o sétimo (o mais novo) e a Terra estaria localizada dentro do universo local de Nebadon.

Todos os sete Superuniversos estariam orbitando o universo central ou o chamado "Paraíso", onde a Fonte atua na sua totalidade, também através de atração gravitacional (ver o capítulo mais adiante sobre a Gravidade).

Esse espaço onde contém todos os Superuniversos pode ser chamado de "Grande Universo", administrado pelas sete consciências que chamamos de Espíritos Mestres. Dentro de cada Superuniverso temos os universos locais. Dentro de cada universo local temos os *clusters* de galáxias com suas estrelas, planetas, etc.

As leis da física são diferentes em cada Universo e ainda mais diferentes a cada Superuniverso. Nenhum é igual ao outro, respeitando os diferentes projetos de experiência da Fonte através de todas as suas consciências desdobradas.

Toda essa estrutura tem uma suposta hierarquia para sustentação do trabalho e seu governo. Desse "Paraíso" central, saem sete raios para os sete Superuniversos. Cada um deles é governado diretamente do "Paraíso" por uma consciência que chamamos de Anciões do Alvorecer (três por Superuniverso).

Vamos agora entender essa governança de baixo para cima.

O menor nível governável é um planeta habitável. Todos eles possuem um "Príncipe Planetário", ou governador planetário. Acima dele, temos os Soberanos do Sistema - onde um Sistema consiste em mil mundos habitáveis. Continuando na hierarquia, temos as constelações que são o conjunto de 100 sistemas que são governados por três Filhos Voronandeques e um Fiel do Alvorecer, o embaixador do "Paraíso".

Um Universo local, como o nosso, que chamamos de Nebadon, possui cerca de 100 constelações e cada um possui uma sede governada por um Filho Criador (Engenheiros Siderais, Filhos Paradisíacos, etc.). Cada universo possui também a presença de uma União do Alvorecer, o representante do "Paraíso".

O chamado setor menor possui 100 universos locais e seus três governantes são chamados de Recentes do Alvorecer, os diretores mais "jovens" supremos. Já o chamado setor maior é composto por uma centena de setores menores presididos por três Perfeições do Alvorecer.

Os detalhes de cada nome, hierarquia e atuação não são relevantes nesse momento. A ideia é mostrar como os Superuniversos são organizados e gerenciados pelo Todo e seus desdobramentos.

FIGURA 1: pintura representando Lanikea, nosso *supercluster* galáctico. Autor: Chrina Corina.

NEBADON, O NOSSO CANTINHO

Nosso Universo local é chamado de Nebadon. Nós estamos dentro do setor de Sagitário, uma das dez divisões de Orvoton, nosso Superuniverso que orbita o "Paraíso" central.

Os cientistas terrestres já conseguiram identificar oito dos dez setores de nosso Superuniverso, mas não conseguem enxergar além por causa dos diversos movimentos que todos os sistemas fazem.

Imaginem que a Terra gira em torno do sol, esse gira em torno de Alcione, que gira em torno do centro galáctico, que gira em torno da ex-nebulosa de Andronover, que gira em torno da nuvem estelar de Nebadon, que gira em torno do centro de Sagitário e de seu setor menor, que gira em torno do seu setor maior, que gira em torno Uversa, a sede central de Orvoton, que finalmente gira em sentido anti-horário em torno do "Paraíso" e do universo central de Havona.

É muito "giro" para conseguirmos calcular tudo certinho com nossa tecnologia atual.

TRIBUNAIS DE JUSTIÇA

Como disse Hermes Tremegisto há mais de um milênio antes de Cristo, "o que está em cima, é como o que esta embaixo". Seguindo esse pensamento, a suposta "justiça celeste" está assustadoramente organizada de uma forma similar à nossa na Terra.

As cortes são organizadas de acordo com a gravidade e urgência do caso. O juiz frequentemente é um Ancião do Alvorecer - um dos governadores dos Superuniversos.

Diz o Livro de Urantia:

> *"A evidência a favor ou contra um indivíduo, planeta, sistema, constelação ou universo é apresentada e interpretada pelos Censores. A defesa dos filhos do tempo e dos planetas evolucionários é oferecida pelos Mensageiros Poderosos, os observadores oficiais do governo do Superuniverso, para os sistemas e universos locais. A atitude do governo mais elevado é retratada por Aqueles Elevados Em Autoridade. E o veredicto é formulado, ordinariamente, por uma comissão de porte variável, e constituída, igualitariamente, por Aqueles*

Sem Nome Nem Número e um grupo de personalidades de compreensão elevada, escolhidas da assembleia deliberativa."

Parece-me muito parecido ao nosso sistema de justiça com um promotor, advogado de defesa, júri, etc. Está na mão desse juiz soberano, o Ancião do Alvorecer, a vida ou a morte eterna (morte cósmica) de qualquer consciência julgada nesse tribunal "divino". Todas as decisões, quando tomadas em conjunto, devem ser unânimes dentro da "perfeição divina" e não há espaço para apelação das decisões.

Todas as subdivisões que vimos anteriormente também possuem seus tribunais presididos por seus governadores. O tribunal dos Superuniversos pode ser visto como um STF, ou Superior Tribunal Federal como existe no Brasil. A decisão é final e definitiva.

Capítulo 2

O DNA HUMANO

"O conhecimento vem do espaço. Nossa visão é o cenário perfeito. Temos dois olhos: o terreno e o espiritual. É recomendável que eles se tornem um olho. O Universo está vivo em todas as suas manifestações, como um animal pensante. A pedra é um ser sensível, como plantas, animais e o homem. Uma estrela que brilha pede para ser vista e, se não fôssemos absorvidos, entenderíamos sua linguagem e sua mensagem. A respiração, os olhos e os ouvidos do homem precisam cumprir a respiração, os olhos e os ouvidos do Universo."

Nikola Tesla

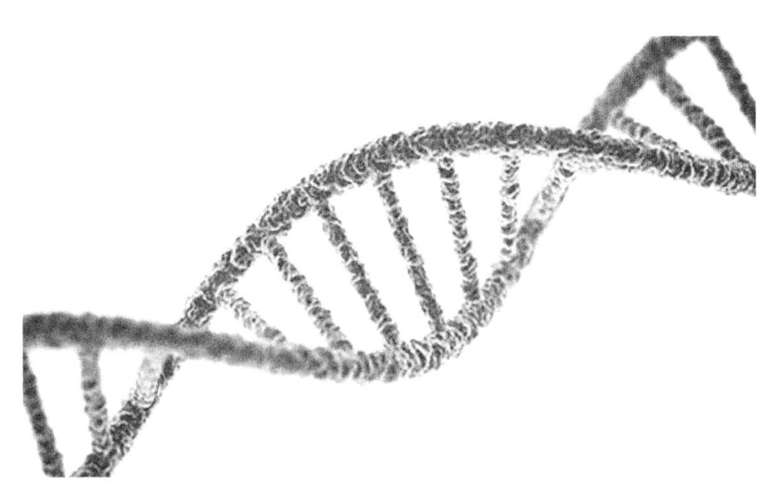

FIGURA 2: Representação do DNA humano. Fonte: Internet.

A ORIGEM

No início da formação das galáxias em nosso universo, cerca de um bilhão de anos após a expansão do Fóton primordial - explicado no meu primeiro livro "A Resposta Para Tudo" (2018), o universo se expandia, a matéria esfriava e as consciências povoavam essas novas dimensões de densidade que eram criadas.

Uma das consciências semeadora de vida que estão presentes nesse momento são os Geneticistas Kadištu, um grupo de seres de várias espécies inteligentes dedicados à tarefa de criar novas formas de vida em diferentes mundos. São seres ditos "semeadores da vida" ou "Portadores da Vida" (como definido no *Livro de Urantia*), ligados aos Melquisedeques.

Quando chegou ao nosso setor no Universo local, uma das primeiras criações dos Kadištu foram os chamados Kingú - albinos draconianos da Constelação de Draco. Os mesmos mencionados por Corey Goode em seu relato de encontro no programa "Revelações Cósmicas" (Cosmic Disclosure, TV Gaia) com David Wilcock.

Os Kingú acreditam que atingiram o cume da evolução e, portanto, têm o direito de governar a Galáxia - além de serem uma das primeiras espécies a povoar o universo, portanto "cheguei primeiro" e de sua obvia força e robustez física, dificilmente páreo para qualquer outra espécie na luta corpo a corpo. Acreditam também que as outras espécies devem servi-los ou serem destruídas. Então, eles criam o Ušumgal, uma raça Draco inferior, para travar suas Guerras de Conquista Imperial por eles.

O Ušumgal é a espécie que da origem a mais de 700 raças distintas reptilianas que temos hoje no universo.

Essa espécie então começa a se destacar sob as demais, principalmente após a descoberta de uma das substâncias mais importantes da história do nosso universo: a Shemanna, o Ouro Monoatômico. No entanto, com o uso desenfreado da substância viciante, eles perdem sua capacidade criativa espiritual e entram em um processo de decadência e dependência física dentro dos mundos mais densos.

OURO MONOATÔMICO

Vale a pena falar um pouco dessa substância que foi tão importante na história do universo e também na história da Terra.

A Shemanna, como é conhecida a substância, promove regeneração celular, longevidade, cura, ativação artificial da Kundalini e dos poderes psíquicos de quem a utiliza. Fala-se que a sua ingestão aumenta a potencialidade do sistema nervoso em dez mil vezes, inclusive abrindo capacidades inimagináveis como o movimento interdimensional consciente.

Parece que ela não é uma substância encontrada naturalmente na Natureza universal, e sim modificada pela tecnologia a partir do ouro comum (que é maleável, e não rígida, em sua forma original e pura).

Agora podemos entender também porque os chamados Annunaki vieram à Terra em busca de "ouro" - entre outras coisas. Esse elemento era também utilizado por eles na troca por lealdade, pois viciava o usuário.

Dizem que o ouro monoatômico vem na forma de um pó branco com uma estrutura atômica unidimensional (mono - um ou dois átomos trabalhando juntos), enquanto o ouro comum tem uma estrutura de três dimensões (dez ou mais átomos trabalhando juntos).

De acordo com escritas pictográficas Sumérias que podem datar de até 450 mil anos atrás, havia um material na época que abria "uma chave" para um campo indefinível ou para um estado alternativo do ser (Corpo Ka). A Pedra Filosofal, pó branco, o "pão" o Mfkzt da antiga civilização egípcia - o ouro monoatômico.

Ele era transformado a partir do ouro comum com forças ainda não conhecidas na manipulação gravitacional e magnética, descrito como uma "dádiva dos deuses", sempre manipulada por sacerdotes para uso próprio e dos principais dirigentes dos reinos durante os tempos.

A GUERRA DE LIRA

Em algum dado momento na história sideral, os Dracos (Ušumgal) invadem a Constelação de Lira, começando o que várias fontes chamam de "Guerra da Lira". Esse local é conhecido por ser o berço da raça humana universal (Ariana), portanto, origem de todas as diferentes vertentes de humanos que conhecemos.

Durante a ocupação de Lira pelos Dracos, eles criaram dois seres que são bem familiares para nós hoje em dia. O primeiro são os Gárgulas (Pazuzu para os antigos) e o segundo são os *Greys*, seres cinzentos conhecidos por "Miminu". Ambos, raças de trabalhadores a serviço dos reptilianos.

A ocupação era quase um massacre. Os humanos sozinhos não eram páreos para os Dracos nem fisicamente, nem tecnologicamente. Chegou ao ponto em que a espécie humana corria risco da sua perpetuação com o fim do DNA puro e original da espécie em Lira. Diz-se que a guerra durou cerca de 600 mil anos terrestres.

O fim da guerra deu-se graças aos aliados dos humanos que lutaram bravamente ao seu lado, dando uma igualdade tecnológica na batalha, que somente teve fim com um tratado negociado entre o chamado Concílio de Andrômeda (aliados humanos) e, o Grupo de Orion (aliados reptilianos).

Os humanos galácticos sobreviventes durante a guerra são resgatados por aliados e fogem principalmente para as Plêiades, mas também para sistemas como Antares, Arcturo, Proción e Tau Ceti, entre outros, onde novas colônias são fundadas, garantindo assim a sobrevivência do DNA humano.

A CRIAÇÃO DE GAIA

A criação da Terra, em torno de 4 bilhões e meio de anos atrás, aconteceu através do recebimento de uma nova ordem dos planos superiores para o aperfeiçoamento do projeto adâmico (humano). Para isso, decidiu-se utilizar um planeta totalmente novo e elegeu-se o recém-criado sistema solar e um planeta específico, a Terra.

Nosso planeta estava ainda em processo de formação e tudo foi acompanhado pela Federação, que enviou sete dragões Elohim da hierarquia Crística Kumara para a supervisão. Temos um bom exemplo deles na antiguidade através da mitologia chinesa, concretamente na figura de Wen-shi – *the mother of Dragons*. Nas representações dessa mestra ascensa da misericórdia, vemos como ela sempre está de pé em cima de um dragão e isso na verdade representa os mestres que um dia aceitaram a convocação do arcanjo Metraton e encarnaram em corpos de dragões. Simboliza o amor e sabedoria da deusa dominando a fúria e a força do dragão.

FIGURA 3: representação do Brasil no planeta Terra. Fonte: Internet.

Esses dragões etéricos moram desde então no núcleo do planeta analisando o seu poder áurico através do cinturão de Van Allen – camada eletromagnética externa de nosso planeta, que podemos ver na frequência infravermelha. Este não é apenas um campo eletromagnético, mas a aura da Terra em níveis sutis que nos defende da maior parte da radiação que chega ao planeta.

Cientificamente, essa magnetosfera é considerada a grande defensora da vida em nosso planeta. Possui aura porque e é um ser vivo em todas as suas consequências. Nós possuímos um campo áurico e a terra também.

Hoje já se discute moderna e cientificamente se a Terra pode ser considerada um ser vivo. Este é o conhecido conceito de Gaia e estes trabalhos científicos estão em um bom caminho.

A Terra é sim um ser vivo com uma consciência.

A escolha da sua localização não foi casual e sim resultado do tratado de equilíbrio que se firmou após a grande guerra de Orion. A situação do sistema solar é bastante comprometida. Nosso sol percorre uma órbita hexagonal de 26 mil anos em relação gravitacional com suas estrelas vizinhas. Curiosamente, metade desse ciclo está no setor da galáxia que corresponde a federação e a outra metade a que corresponde os reptilianos e os outros não confederados. Como diz a tradição Maia, são 12 mil anos de luz (lado da Federação), outros 12 mil anos de obscuridade (lado dos não confederados) e mais de 2.000 anos no limbo (zona neutra).

Assim foi decidido para que os projetos humanos que aqui se desenvolvessem tivessem suas experiências na dualidade. Também se permitiu os reptilianos desenvolver seus próprios projetos genéticos e tudo abaixo de um acordo de respeito mútuo e colaboração entre as partes, assim como obediência às resoluções que a federação determinasse a cada momento.

A Terra, por ser criada por Elohins (deuses locais criadores), é um planeta decimal e morontial. Isso porque os Elohins possuem 10 hélices de DNA (por isso decimal) e, por isso, os seres aqui encarnados e não encarnados podem evoluir 10 vezes mais rápido, pois se buscava acelerar o processo evolucional Adâmico para ser completado por volta de 20 a 25 encarnações, no máximo. Por outro lado, a Terra também é um planeta morontial porque possui um corpo incluso mais sutil que o corpo astral (uma convergência de portais interdimensionais no tempo-espaço).

Esses sete dragões Kumara foram supervisionando a formação da Terra durante todo o período pré-cambriano. No começo da era paleozoica, ao redor de 500 milhões de anos atrás, começaram a ver as recompensas: depois de tantos esforços, surgem os primeiros seres pluricelulares e a vida então havia nascido enfim neste planeta.

Bem nesta época, se configura um grupo de trabalho designado pela federação desde seu centro administrativo na estrela de Alcione das Plêiades, para supervisionar o projeto de desenvolvimento biológico terrestre.

Esse grupo estava formado principalmente por três equipes da federação: a primeira equipe composta por raças felinas de Vega e Sirius A, a segunda era composta por reptilianos serpentiformes de Orion, conhecidos desde a antiguidade pelo nome de Irmandade da Serpente. Inclusive, com o tempo, obrigou-se a trocar de nome em função da oposição à simbologia da serpente por parte das religiões monoteístas que pregaram que tudo aquilo que se parece com algo réptil é demoníaco (o que obviamente, não é verdade). Desde então, passaram a ser conhecidos pelo nome de A Grande Fraternidade Branca. O terceiro grupo era uma equipe humana das Plêiades, que se carregava então de doar a matriz genética humana para este novo projeto adâmico.

Essas equipes estabeleciam colônias temporárias para seus trabalhos de supervisão e modificação da biologia terrestre, dadas as difíceis condições de sobrevivência daquelas épocas tanto em nossa dimensão 4D/5D de espaço-tempo, como em outras mais sutis e devido ao baixo padrão vibratório do planeta. Tão logo essas equipes terminaram seus trabalhos, abandonavam a Terra.

Essas raças desenvolvedoras de vida, junto com os dragões Kumaras – os que se denominam nas lendas como os deuses primordiais – desenvolveram a fauna e a flora, além de multiplicar os seres marinhos e na sequência as primeiras plantas terrestres. Isso aconteceu em torno de 420 milhões de anos atrás.

Essas eram plantas muito grandes em áreas pantanosas e aproximadamente 380 milhões de anos atrás, começaram a proliferar as primeiras raças terrestres de anfíbios, aparecendo depois, também, os primeiros insetos.

Definitivamente o trabalho dessas equipes estava frutificando e também se intensificando a tal ponto que a federação resolve enviar uma nave mãe à Terra, dado a carga de trabalho e a multiplicação das equipes necessárias. É estabelecida, então, uma base administrativa da Federação no planeta Terra.

A atmosfera naquela época ainda estava carregada de dióxido de carbono, o que tornava difícil estabelecer uma base em terra firme. Sendo assim, a base se estabeleceu em órbita estacionária. Essa era uma nave da Confederação, dessa forma, era pura energia, se apresentando em estado material nos distintos níveis dimensionais para poder abrigar com qualidade a todos os membros das equipes da federação e independente de sua natureza vibracional.

Essa é a origem da lenda de Shambala, essa nave mãe de energia Kumara que se posicionou em tempos remotos sobre onde hoje é o Tibete. Suas dimensões eram enormes, possuindo vários quilômetros, tanto de altura como de largura. O fulgor dourado e violeta correspondem exatamente às cores emanadas pela nave, assim como, é dito na lenda de Shambala.

Depois de dezenas de milhares de anos que essa nave mãe Kumara esteve em órbita, ela pediu permissão à federação para construir permanentemente uma cidade etérica sobre o Tibete, que é o que até hoje conhecemos como Shambala.

FIGURA 4: representação de uma nave em órbita. Fonte: Internet.

Devemos saber que toda a cidade etérica que se instala sobre o planeta, tanto sobre a Terra, interoceânica ou intraterrena, deve (ou deveria) primeiro pedir permissão a confederação dos planos ascendidos.

Nas primeiras épocas da formação da Terra, os dragões elohim Kumara criaram uma rede de galerias por todo o interior da terra, através das diversas erupções vulcânicas, formando tubos de lava intraterrenos os quais formavam as enormes cavernas, galerias e passagens subterrâneas. Essas galerias estão dispostas em vários níveis dimensionais e não somente em nossa dimensão. Nesse local seria fundada mais tarde a cidade reptiliana de Agartha.

Naquela época as condições ambientais do planeta eram muito duras para se habitar de forma permanente nessas galerias.

Já falamos no *Resposta* que a Terra não é solida, nem oca, mas sim como uma colmeia, cheia de dutos e – não é tão radical como alguns imaginam e que inclusive há um "sol" no interior do planeta Terra. Uma coisa é dizer que a Terra possui um conjunto de galerias habitáveis e que pode abrigar colônias, inclusive cidades de certo tamanho, e outra coisa muito diferente é dizer que a Terra é oca como uma casca de noz.

Esse sol interior não é nada mais do que o próprio núcleo da Terra, que nessas dimensões mais sutis o resplendor que irradia o núcleo é percebido e ilumina as cidades etéricas intraterrenas. Essa luz na galeria aqui no plano 4D não é percebida. Existem estudos científicos recentes que dizem que no centro da Terra ha uma estrela e não um núcleo de metais, como ensinado nas escolas, pois há emissões de neutrinos de dentro para fora do planeta e não somente vindos do nosso sol.

Essas primeiras explosões de vida também começaram a moldar as realidades paralelas do planeta. Foram criados os Devas, as entidades da natureza – como os tão falados duendes e fadas. Essas entidades sutis, ligada à consciência viva da Terra, são os chamados Elementais associados às consciências básicas primárias. Por exemplo, quando se realiza um ritual com uma planta, o que se está fazendo na realidade e invocando o Deva desta planta para curar um enfermo ou um determinado propósito.

A primeira dimensão da consciência é o mineral, a segunda dimensão é a das plantas, e num estágio mais elevado para essa nossa realidade, os animais e nós próprios estamos na terceira dimensão consciencial.

Durante essas épocas, foram-se atraindo diversas luas e satélites para mudar o eixo de rotação terrestre, inclusive em vários momentos a inversão dos polos magnéticos provocado pelos sete dragões Elohim, que moram no núcleo da Terra.

Ao passo desse longo período, foram se somando equipes de diversas raças semeando diversas espécies na Terra. Temos o exemplo dos seres anfíbios e cetáceos de Sirius B que trouxeram exemplares como as baleias e os golfinhos, entre outros. Essas espécies de baleias e golfinhos são espiritualmente mais "evoluídas" que nós. Dotados de capacidades telepáticas, são grandes mestres da apometria. Foram disseminadas precisamente para auxiliar na evolução da frequência do planeta que nessa época tinha uma vibração muito baixa (mais baixa que hoje em dia).

Também uma equipe humana da galáxia de Andrômeda começou a trabalhar neste momento servindo de apoio aos projetos biológicos postos em marcha pela federação. Os seres felinos de Sirius A e Orion trouxeram a matriz genética dos felinos que conhecemos na Terra.

Raças Insectoides de várias galáxias trouxeram os insetos e humanoides com cabeça de pássaro (Aviários) trouxeram os vertebrados ovíparos - os que põem ovos - tanto pássaros como répteis. Esses últimos então tiveram uma melhor sorte nas mudanças climáticas da Terra, chegada a época, então, dos grandes dinossauros que resistem com êxito as mudanças climáticas naquele período, em detrimento de tantas outras raças. Passa-se então de climas tropicais quentes a climas mais secos e áridos, desaparecendo inclusive o gelo dos polos.

A tremenda proliferação dos grandes dinossauros não estava exatamente programada pelas equipes de desenvolvimento da federação, tampouco estava prevista essa grande mudança climática que aconteceu nesses períodos. Os porquês serão encontrados nas causas externas totalmente inesperadas: o cataclismo de 250 milhões de anos atrás num dos quatro mundos interiores do nosso sistema solar que naquela época abrigava a vida - foi a ocorrência da destruição de Maldek.

A DESTRUIÇÃO DE MALDEK

No início do nosso sistema solar havia quatro planetas interiores com capacidade de abrigar vida biológica em 3D/4D. Eram eles: Vênus, Terra, Marte e Maldek. Esses planetas tinham algumas similaridades em suas características biológicas, compartilhando espécies animais e vegetais de todo tipo.

Vênus era um planeta aquoso e Marte estava mais desenvolvido biologicamente que a Terra. Marte se destacava mais por suas selvas e também por suas savanas. Já Maldek era um planeta aquoso do tamanho de Urano, que possuía enormes oceanos e continentes com terra firme.

Aproximadamente 250 milhões de anos atrás, Maldek foi colonizada por intervenção da federação que preparou o planeta para que ali habitassem raças arianas de Vega e Aldebaran. Essas raças foram destinadas para ali encarnarem já que procediam de mundos destruídos pela guerra, de certa maneira com influência Arconte (falaremos mais adiante), dos tempos das grandes guerras e se deu a oportunidade para que ali se reencarnassem e seguissem a sua evolução.

Lamentavelmente, os habitantes de Maldek esqueceram a espiritualidade em favor da ciência. Eles eram excessivamente mentais e desenvolveram uma tecnologia muito potente, mas eram demasiadamente audazes e agressivos com seus experimentos tecnológicos – talvez por sua herança de DNA cósmico nas memórias de conflitos anteriores.

Vários grupos opostos entraram em guerra insistindo nos mesmos erros do passado. Mas foi num desses experimentos, abrindo portais dimensionais alimentados por energia, que não puderam manejar tamanha força e desequilibraram a constante dimensional e gravitacional do planeta desestabilizando-o por completo. Seria um experimento parecido com o nosso LHC, o Colisor de Hadrons da Suíça, mas com uma potência muito maior.

Apesar das muitas lendas que rodeiam Maldek, esse é o motivo real e final de sua destruição. Um ato de autêntica estupidez. Sua destruição causou uma grave desordem gravitacional em todo sistema Solar.

Mesmo sendo difícil assegurar em dados científicos, há informações que apontam para que essa explosão tenha mudado o eixo de rotação de Urano e tenha empurrado luas de Saturno para o sistema solar exterior. Há inclusive especulações de que uma dessas luas poderiam ser Plutão e também a teoria de que Mercúrio era originalmente uma lua de Júpiter e acabou sendo ejetado para fora da órbita, indo parar no sistema solar interior onde está até hoje.

A Terra e Marte também sofreram colisões de blocos de água proveniente de Maldek. Uma parte dessas águas ajudou a formar o que hoje se conhece pelos anéis de Saturno e o restante dos escombros formou o que é hoje conhecido pelo cinturão de asteroides interior, ou cinturão de Ceres.

Nosso planeta também sofreu uma alteração orbital aproximando-se do Sol em 3 a 5 milhões de quilômetros, provocando as ondas de calor no final da era paleozoica chegando a desaparecer os glaciares dos polos.

O povo que viveu neste planeta está encarnando na Terra especialmente em países nórdicos, alemães, austríacos, noruegueses, russos, suecos, etc. Muitos deles são almas encarnadas procedentes de Maldek.

Pôr uma data na destruição de Maldek é física e cosmologicamente impossível. O motivo é porque 300 milhões de anos é pouquíssimo tempo para que o cinturão de asteroides, resultado da explosão, esteja tão limpo e aglutinado. A geologia atual, por exemplo, diz que a criação da Terra data de aproximados 5 bilhões de anos, o que teria sido inclusive rápido em termos cosmológicos.

Finalizamos, dizendo que isso tudo pegou de surpresa o plano de semeadura biológica da federação em nosso planeta Terra (e também nos demais), comprometendo todo o planejamento original. A alteração climática recorrente levou à proliferação desmedida dos seres répteis da Terra chegando, assim à época dos grandes dinossauros.

O FIM DOS DINOSSAUROS

O plano original era que reinasse tanto a diversidade quanto o equilíbrio entre as distintas espécies, mas a situação agora era outra e com as mudanças climáticas que aconteceram à raça réptil, tinha uma vantagem no período mesozoico. O período do reinado completo dos dinossauros na Terra foi de 190 milhões de anos.

Dado que o nosso planeta era uma criação Elohim com a intenção de que se tornasse um verdadeiro pomar de vida e abundância (jardim de experiências), unindo a essa mudança climática inesperada a incrível adaptabilidade da raça réptil, desencadeou então um tremendo desenvolvimento dos grandes "Sauros". Havia registros nos arquivos da federação de criaturas maiores e mais bestiais que qualquer outra encontrada neste universo local, apesar da Terra ser um planeta rochoso de tamanho modesto.

O tamanho e a ferocidade desses animais eram incontroláveis, inclusive perante o poder político de muitos mestres de raças ascensas. O tamanho, robustez e a psique réptil desses predadores faziam com que seus poderes mentais muitas vezes não fossem suficientes para controlar esses espécimes, especialmente os que andavam em manada produzindo-se, inclusive, ataques mortais a membros das equipes da federação.

Essa impossibilidade de convivência na superfície teve sua origem no início da colonização dos reinos intraterrenos de Agartha, especialmente por uma questão de segurança à margem de tempo que havia, visto que já havia um reequilíbrio aceitável entre todos os corpos celestes do sistema solar e seus movimentos já eram previsíveis.

FIGURA 5: representação do meteoro caindo na época dos dinossauros. Fonte: Internet.

Outra razão para não esperar mais era que a vibração planetária havia despencado enormemente perante a proliferação dos ferozes dinossauros. Entre os membros da federação, também se ergueram vozes demonstrando a preocupação em deixar que essas raças evoluíssem a um nível de inteligência superior e a um calibre de ferocidade e agressividade tamanha que pudesse, com isso, surgir uma raça mais terrível e perigosa.

Era hora de intervir enquanto não havia dados e salto evolutivo considerável. A ação a tomar deveria ser drástica, já que a população desses espécimes répteis estava enorme e não permitiram a evolução das raças mamíferas, que era o grande objetivo final deste projeto Terra.

Em torno de 65 milhões de anos atrás, tomou-se a grande decisão de impactar um asteroide na superfície do planeta Terra. Decidiram deslocar um asteroide, que já vinha em direção a Terra, da região de Satik onde vários planetas foram destruídos na grande guerra de Orion.

Esse pedaço de planeta tinha 15 quilômetros de largura e essa tarefa foi executada por naves Kumaras que acompanharam o objeto do início ao fim, corrigindo sua trajetória e monitorando até instantes antes do impacto. A península de Yucatán no México foi o local escolhido de impacto, criando uma cratera de quase 200 quilômetros de diâmetro.

A crosta terrestre se fundiu em partes criando uma onda de destruição que em algumas horas englobou todo o planeta. Temperaturas de 600 graus chegaram a dar em algumas partes. Grandes incêndios alimentados pela atmosfera altamente oxigenada daquelas épocas, grandes terremotos, erupções vulcânicas, etc. Tudo para que qualquer grande animal estivesse condenado à erradicação, deixando possibilidades de sobrevivência apenas aos pequenos animais que podiam se esconder e que tinham menor necessidade de comida, abrindo assim o caminho para os futuros mamíferos.

Alguns dos sobreviventes foram mortos por explosões nucleares localizadas para que se garantisse a extinção completa das espécies.

Ainda assim algumas colônias de dinossauros mais evoluídos fugiram para locais intraterrenos, outros foram resgatados e levados a outros planetas (como Marte, por exemplo, e outros ainda sobreviveram em algumas zonas, sendo que muitos anos mais tarde, após o grande cataclismo, evoluíram todas as espécimes de répteis que conhecemos hoje). Isso também explica alguns problemas de datação de fósseis de dinossauros que a ciência atual tem encontrado.

CRIAÇÃO DOS HUMANOS TERRESTRES

Há, então, um período de paz nesse quadrante do Universo. Nesse tempo, a Terra servia como um jardim de experiências com várias espécies e raças distintas do universo, usando nosso lindo planeta como um laboratório genético, devido a sua grande diversidade de elementos encontrados facilmente por aqui, já "livres" dos dinossauros.

Nesse período, um grupo reptiliano presente no planeta cria o chamado *Namlúu*, um humano primordial, etérico (5ª densidade) e andrógino (sem gênero), e cujo DNA contém informações genéticas de uma série de raças alienígenas, tendo como base o DNA humano puro coletado na Guerra de Lira.

Especula-se que essas raças criadoras sejam doze, a seguir: Anfíbios Abgais, Insectoides Ni, Kingú branco, Kingú Vermelho, Kingú verde, Ušumgal, Šutum reptilianos, reptilianos Ama'argi, notários de Sukkal, Urmah felidianos, Imdugud Hominídeos e os Ameli Plasmáticos (todos em 5D).

Quando da chegada dos chamados Annunaki na Terra, os Namlúu deixam a quinta densidade (astral terreno) e se retiram para o chamado Angal, ou seja, os planos mais elevados fora do nosso orbe.

Foi então que ocorreu a criação na quarta densidade (4D) dos chamados Adamu, um tipo de humano inferior, que é um coquetel genético de raças como o Kingú Branco (Draco), o Miminu (Grey) e o Annunaki (humanoides), misturados com genes de hominídeos terrestres da época; mas que, no entanto, tem o potencial genético de se elevar acima de seus criadores, contendo também a genética dos Namlúu (humanos primordiais) e Kadištu (geneticistas primordiais) – ou o famoso código Crístico (projeto dessa linha de engenheiros siderais ou Filhos da Criação).

Isso ocorreu na tentativa de desativar o DNA conhecido como Códons, o qual está relacionado com as emoções, com o intuito de tornar esse novo ser Adamu um trabalhador tão simples como os Miminu (Greys). Importante mencionar que parte dos Annunaki são reptilianos.

Para impedir que isso acontecesse, os Kadištu enviaram uma missão secreta para se infiltrar no projeto genético dos Annunaki. Assim, essa nova espécie criada formaria um "coquetel" exclusivo de DNA que serviria como "vacina" para a solução de alguns problemas na Guerra de Orion relacionados ao DNA reptiliano e ao Código Crístico o qual comentaremos na sequência.

Os Annunaki ao chegarem à Terra desceram primeiro às Montanhas Taurus, no que é hoje o sul da Turquia. De lá, eles planejaram o desvio dos rios Tigre e Eufrates, para se estabelecerem mais tarde na Mesopotâmia - região que consideravam estratégia para suas minerações e extrações de materiais necessárias para seus projetos.

O geneticista Annunaki, conhecido como Enki, criou então uma nova raça que seria conhecida como "Nungal", mas sua pele ficaria muito parecida com uma raça Draconiana que era inimiga dos então chamados Annunaki. Assim, o conselho Annunaki decide que essa nova raça deveria ser exclusivamente trabalhadora das lavouras, do desvio dos rios e da construção de assentamentos que se vincularão aos vinte e cinco portais naturais descobertos na Mesopotâmia - outro fundamental motivo para o interesse Annunaki na região e no planeta.

Posteriormente, após uma rebelião dos Nungal, surgem dois projetos para a criação de novos servos. Cerca de 1,8 milhão de anos atrás, o primeiro Adamu ou Adam (ou Adão) havia sido projetado: o Homo Erectus. Há 400.000 anos, começa a Linha Abel: o Neandertal. Depois a Linha de Caim (Homo Sapiens) há 350.000 anos.

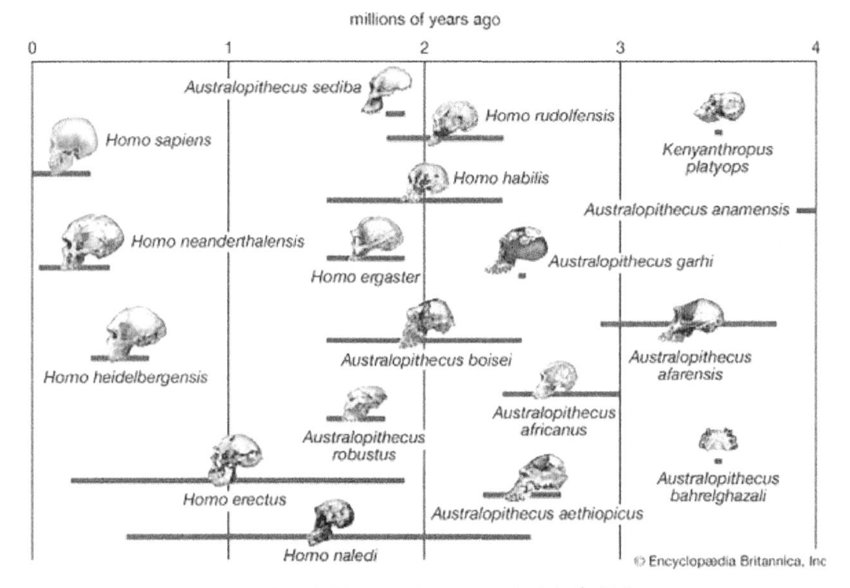

FIGURA 6: hominídeos ao longo da história (milhões de anos). Fonte: Enciclopédia Britânica.

Há cerca de 28.000 anos, os sapiens teriam exterminado seu irmão Neandertal: "Caim matou Abel". Essa nova espécie e a sua seguinte subespécie "homo sapiens sapiens" já seria resultado das subdivisões de projetos genéticos das 22 delegações presentes na Terra no momento da subida da barreira de frequência a cerca de 90 mil anos de nossa linha temporal e o suposto fim da era dos Annunaki na Terra.

A ESTRUTURA DO DNA

A sigla DNA é a abreviação em inglês para ácido desoxirribonucleico (ADN em português) o qual é um composto orgânico molecular, que possui instruções que coordenam a formação, o desenvolvimento e o funcionamento de todos os seres vivos.

Essas informações genéticas são chamadas de genes, que são formados por sequências específicas de ácidos nucleicos e que são passados hereditariamente nas espécies.

Na Wikipédia temos a seguinte explicação da forma com que o DNA funciona:

> *"Do ponto de vista químico, o ADN é um longo polímero de unidades simples (monômeros) de nucleotídeos (blocos construtores dos ácidos), cuja cadeia principal é formada por moléculas de açúcares e fosfato intercalados unidos por ligações fosfodiéster (na química, ligações covalentes). Ligada à molécula de açúcar está uma de quatro bases nitrogenadas mantidas juntas por forças hidrofóbicas. A sequência de bases ao longo da molécula de ADN constitui a informação genética. A leitura destas sequências é feita por intermédio do código genético, que especifica a sequência linear dos aminoácidos das proteínas. A tradução é feita por um ARN mensageiro (ácido ribonucleico) que copia parte da cadeia de ADN por um processo chamado transcrição e posteriormente a informação contida neste é "traduzida" em proteínas pela tradução. Embora, a maioria do ARN produzido, seja usado na síntese de proteínas, algum ARN tem função estrutural, como, por exemplo, o ARN ribossômico, que faz parte da constituição dos ribossomos".*

Sem querer ir tão afundo na biologia, podemos entender que o DNA é o responsável por tudo em nosso corpo físico: a cor dos nossos olhos, cabelos, tom de pele, altura, entre outras coisas mais complexas como probabilidade de desenvolvimento de doenças.

Temos que separar bem alguns conceitos desde agora. Estamos aqui falando do DNA físico, do corpo dentro dessa dimensão 4D de espaço-tempo. O que chamamos (erroneamente) de DNA espiritual, trata-se de um código criacional que por analogia demos esse "apelido" de DNA. Apesar da influência mútua entre eles, são estruturas distintas.

Os cientistas conseguiram codificar toda a sequência de DNA do genoma humano, ou seja, conseguiram decifrar todas as sequencias de códigos que formam o DNA para construir um ser humano.

O problema foi que a ciência não conseguiu desvendar o que essa sequência de códigos quer dizer em sua totalidade. Sendo assim, os cientistas entenderam a função do DNA codificador - aqueles genes responsáveis por carregar instruções de como o organismo funciona corretamente. Mas, esses correspondem apenas a 14% da sequência total.

Foi ai então que os outros 86% dos genes foram erroneamente denominados pelos cientistas como "DNA lixo", pois em seu entendimento eles não tinham função alguma.

Não poderiam estar mais errados.

A ciência ainda não descobriu toda a funcionalidade dessa grande parte dos genes, mas já se sabe cientificamente que alguns deles, por exemplo, gerenciam a atuação entre os próprios genes.

Hoje, ao invés de chamá-los de DNA lixo, chamam de "Matéria escura do DNA". Sim, como a matéria escura no universo que os cientistas também não fazem a menor ideia do que seja. O mais interessante é que os cientistas também desvendaram a sequência de DNA de animais (e até plantas!) e a quantidade de semelhanças que temos é impressionante.

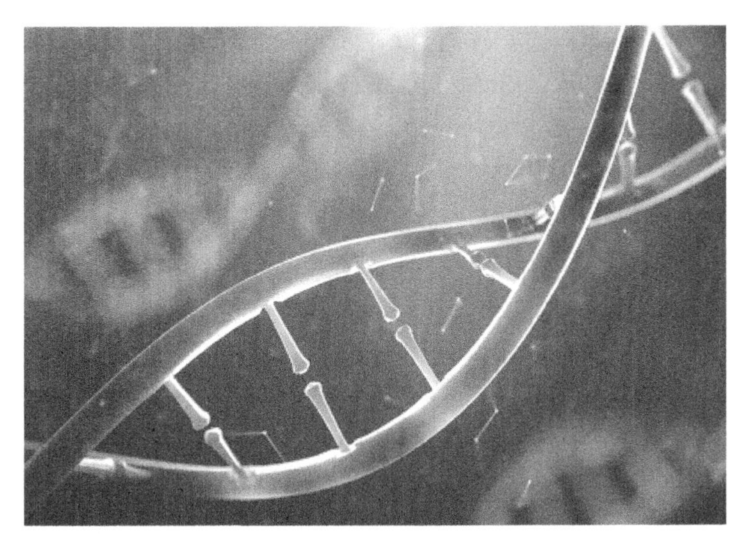

FIGURA 7: representação gráfica do DNA. Fonte: Artem_Egorov/iStock.

O instituto de pesquisa Max Planck da Alemanha divulgou que chimpanzés têm 98.8% de compatibilidade de DNA com os humanos, ratos e camundongos 97.5%, gatos 90%, Vacas 80%, o peixe-zebra 70%, a mosca de fruta 60% e até o repolho tem 40% de semelhança com os nossos genes.

Claro que podemos observar as diferenças gritantes entre um humano e um repolho, mas vemos que elas diminuem quando nos comparamos aos chimpanzés. Mas, se pensarmos um pouco mais a fundo, toda a diferença entre nós e essa espécie símia é de apenas 1.2% e o resultado é gritante. Essa pequenina diferença faz com que nos cheguemos à Lua, a Marte e a todo o avanço que a humanidade é capaz, enquanto eles estão nus comendo banana na floresta (sem ofensas, nada pessoal).

Mas existe uma similaridade entre todos, não? Se o repolho tem 40% de genes iguais ao nosso, todos os organismos vivos devem ter também um pedaço. E os cientistas descobriram isso também. O nome dessa sequência é "DNA ultraconservado".

São 481 sequências de "DNA lixo" idênticas que aparecem numa ampla gama de seres vivos. São trechos inalterados através da evolução das espécies e dos diversos experimentos genéticos em que todos os seres vivos desse planeta sofreram e ainda sofrem pelas 22 delegações.

Os cientistas fizeram diversas experiências com a edição desse DNA através da técnica CRISPR-Cas9 (que falaremos a seguir) e os resultados foram satisfatórios. Eles repararam que quanto mais editavam esses genes, mais problemas cerebrais como memória, redução de peso, etc., esses animais tinham. Assim, estão percebendo que não são somente 14% dos genes que cuidam da boa formação do organismo, mas sim, provavelmente 100% deles e a inteiração entre todos.

CRISPR-CAS9

A tecnologia CRISPR é uma ferramenta utilizada atualmente pelos cientistas na qual é possível fazer a edição de genes, ou seja, modificar o DNA de um ser de acordo com a vontade e interesse do geneticista. Ela altera facilmente as sequencias de DNA, modificando as funções dos genes.

O lado bom dessa técnica é que ela pode ajudar a corrigir defeitos genéticos de na formação do corpo, no tratamento e prevenção de diversas doenças e inclusive na melhoria da agricultura e colheitas.

O lado ruim disso é que esse conhecimento pode ser utilizado para alterar o DNA de qualquer ser vivo para servir a um propósito maléfico. Temos o exemplo dos alimentos transgênicos, além da ampla e discutida possibilidade de voltarmos a uma busca pela "perfeição" genética e, daqui a alguns anos, estarmos escolhendo cor de olhos e tipo de cabelo, tom de pele, altura e peso para nossos filhos.

Enfim.

CRISPR é o diminutivo de CRISPR-Cas9, onde CRISPR são pedaços especializados do DNA e Cas9 é uma proteína associada capaz de "cortar" moléculas de DNA. Essa técnica foi adaptada dos mecanismos naturais de defesa de bactérias, quando do ataque de certos vírus, além de se assemelhar bastante com a técnica utilizada por algumas das 22 delegações em seus experimentos no planeta.

O CÉREBRO HUMANO

No interior da caixa craniana encontramos o encéfalo - o centro do sistema nervoso, que é dividido em três partes e uma delas é o cérebro, nosso núcleo de inteligência.

O cérebro é dividido em duas partes básicas: o hemisfério direito que é o responsável pela interpretação de imagens, pelas intuições, pela percepção musical; e o hemisfério esquerdo que é o responsável pela linguagem, pelos cálculos, pelas memórias, pela resolução de problemas, pela fala e são conectados pelo corpo caloso - um "cabo" espesso formado por fibras nervosas. Os hemisférios comandam lados opostos do corpo: o hemisfério esquerdo controla os movimentos do lado direito do corpo e vice-versa.

As dobras do cérebro servem para aumentar a capacidade de superfície do órgão, visto que existe uma limitação física dentro da caixa craniana. Esse órgão, além de hemisférios, é dividido em lóbulos de acordo com a função exercida nos dois lados.

- *Frontal*: Trabalhos criativos, raciocínio, personalidade, tomada de decisões, movimento dos músculos esqueléticos, etc.
- *Temporal:* Comunicação, fala, audição e escrita.
- *Parietal*: Percepção de dor, frio, calor e toques.
- *Occipital*: Informações visuais.

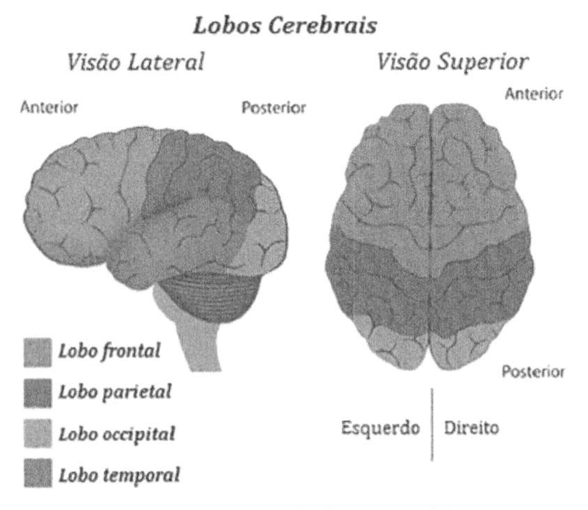

FIGURA 8: lobos cerebrais. Fonte: Brasil Escola.

Essa é a parte física e palpável do cérebro humano, de uma forma simples de entender. Agora, passemos para o entendimento da mente e a sua conexão com o cérebro e o espiritual.

A relação entre mente e cérebro é mais fácil ser vista na psiquiatria, que desenvolveu todo o seu tratamento e forma de ação nessas duas partes. No cérebro físico, com medicação alopática e na mente, através da psicoterapia aliada.

Conforme escrito num artigo de 2005 da *American Journal of Psychiatry* por Glen Gabbard - referência mundial no assunto - a mente e o cérebro não são entidades separadas, onde "a mente é a atividade do cérebro", contrapondo Platão e Aristóteles que ligavam a mente com a alma humana.

Gabbard continua dizendo que "deplora a ampla associação psiquiátrica dos genes, medicações e fatores biomédicos às entidades cerebrais, e entorno, psicoterapia e fatores psicossociais à mente, e defende por unidade de mente e cérebro, com ênfase no caráter inseparável da interação entre os genes e o meio ambiente, assim como entre os fatores psicossociais e a estrutura do cérebro".

Sem entrar no conceito técnico e profundo da questão, concluímos que a mente e o cérebro caminham juntos, num processo de inteiração ainda não comprovado cientificamente, mas amplamente observado e testado de diversas formas.

Trazendo para o âmbito da metafísica, podemos dizer que o cérebro atua como o órgão de inteiração física com o espírito através de sua antena central, a glândula pineal, sendo assim a mente é o contato entre esse espírito e o âmbito físico do mundo de 4D no espaço-tempo terrestre.

Em outras palavras, o espírito se conecta ao corpo pela glândula pineal, a qual interage com o físico cerebral - com suas limitações e características pré-definidas de DNA, tendo a mente como o espectro dessa inteiração.

O DNA do espírito ou, como gosto de chamar, código criacional, traz informações do DNA Cósmico, que falaremos a seguir, influenciando o DNA físico através da atuação da mente humana. Em outras palavras: a mente altera as sequencias de DNA físico. É assim que criamos doenças ou as curamos também. Tudo está na mente.

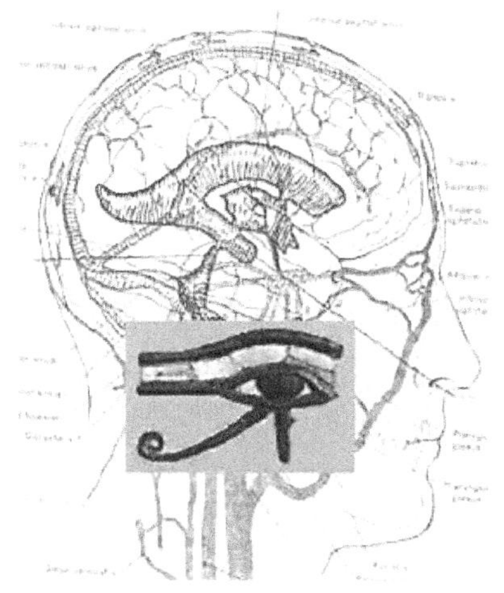

FIGURA 9: a localização da pineal e a comparação com o "olho de Hórus". Fonte: Internet.

A glândula pineal está localizada bem no centro do cérebro humano (em um local chamado epitálamo). Quase todos os vertebrados a possuem (com exceção do peixe-bruxa). Ela é a responsável pela produção de melatonina - o hormônio derivado da serotonina - o qual controla o sono.

Uma forma leiga e simples de explicar, é que a pineal é formada por um tecido equivalente ao do fundo do olho humano, contendo neurônios (célula responsável pelos impulsos nervosos - troca de informação) e estruturas semelhantes a cristais.

Até o filósofo René Descartes discutiu no século XVII a relação dessa glândula como a união entre o corpo e a alma. Mais tarde, Madame Blavarski relacionou a pineal com o conceito Hindu de "terceiro olho".

Dentro da metafísica, sabemos que a pineal é a "antena" que conecta e recebe as informações espirituais através de seus cristais, transformando-as em impulsos elétricos que são transmitidos pelos neurônios e descodificados pelo nosso subconsciente. Essas informações podem vir a tona ao nosso consciente de acordo com as barreiras ou facilidades do resultado das informações contidas no conjunto do nosso DNA físico, cósmico e experiências nessa encarnação.

A mente humana - esse espectro da inteiração do espírito (DNA - código de criação) com as informações de DNA (físicas). É basicamente dividida em três partes: inconsciente, subconsciente e consciente.

O inconsciente é aquela parte da mente humana que controla as funções automáticas de sobrevivência do corpo físico, tais como respirar, batimentos cardíacos, funções gerais do corpo e por ai em diante. Não temos controle direto e consciente sobre ele, funcionando quase que no modo "automático".

O subconsciente corresponde a mais de 90% da mente humana. É o local onde guardamos nossas memórias em longo prazo – longo mesmo, desde o útero materno, infância, etc. – e também nossas emoções. Ele está preocupado com o nosso bem-estar em longo prazo.

O nosso consciente é o mais óbvio para nós, pois se trata do aqui, agora. Desse pensamento que está conscientemente lendo esse texto nesse momento. É lá que guardamos as memórias em curto prazo e que nos preocupamos com a resolução de problemas do presente, do momento em que estamos vivendo nesse minuto e nada mais.

Exemplos: a decisão de abrir uma porta ou não, abrir a janela, ir ou não no banheiro, são todas conscientes. O que importa é o agora. Por outro lado ele também é o responsável por comer aquela sobremesa que você não deveria, mas "não aguentou", pois ele está preocupado com resolver o problema imediato. Quem se "arrepende" depois é o subconsciente, que te manda as consequências dessa ação e todos os sentimentos relacionados a ela em longo prazo para sua reflexão mais tarde.

O subconsciente é aquele gravador de ações e emoções por toda a nossa vida. Como corresponde a uma grande parte da nossa mente, podemos dizer que é o nosso verdadeiro eu encarnado. Ele também é responsável pela comunicação espiritual e essa inteiração multidimensional. Por isso que muitas vezes estamos interagindo com outras realidades e não percebemos, mas sentimos algo "lá no fundo depois" ou então uma informação que vem "do nada" chega ao consciente.

Quando estudamos hipnose, por exemplo, vemos como um evento de nossa infância – ou antes – pode afetar completamente nosso comportamento quando adultos e não fazemos a menor ideia disso. Coisas aparentemente não correlacionadas são na verdade, gatilhos em nossa mente para coisas do presente.

Enquanto na escola de hipnose, estudei um caso de um menino que tinha problemas com álcool quando adulto e não conseguia parar em nenhum emprego. Numa sessão de hipnose, seu subconsciente quando questionado sobre o gatilho desse comportamento, o levou ao momento de quando tinha três anos de idade. Nessa ocasião, seu cachorrinho de estimação tinha morrido e seus pais - com medo da reação do filho - falaram para a criança que o animal tinha fugido.

Após a reconfiguração do ocorrido e a reprogramação das emoções atreladas ao evento depois de algumas sessões e acompanhamento, o hoje, então, homem conseguiu se livrar do vício, se estabilizar num emprego e construir uma família.

Quem em sã consciência iria imaginar que a perda de um cachorro de estimação, aos três anos de idade, iria levar o hoje então homem a ter problemas com álcool e estabilidade no emprego? Claro que não é tão simples assim, mas esse pode ser um "evento gatilho" de várias outras emoções atreladas ao apego, à estabilidade, à família, à confiança e por aí vai.

Isso é tão sério que precisamos passar a prestar mais atenção em nosso comportamento. Olhar para dentro de si, se conhecer. Abraçar o nosso lado "sombra", nos aceitar e tratar - das mais distintas maneiras com ou sem terapia - esses fatores que nos impedem de ser a nossa essência aqui encarnados.

Todos esses conjuntos de informações do subconsciente servem de material para a cocriação de nossa realidade. Nós estamos cocriando a todo o tempo, sem parar. Só que não sabemos e não controlamos o processo.

Ter essa ciência e saber como reeducar o nosso subconsciente é fundamental para retomar o controle de nossa vida e cocriar a vida que queremos e merecemos. Não, não é tão simples por todos esses fatores que discutimos: DNA físico, DNA cósmico, experiências reencarnacionais, manipulação do Governo Secreto por "N" formas e por aí vai. Mas temos que fazê-lo e temos que começar agora.

Dai vale lembrar o primeiro passo para isso acontecer que eu sempre menciono em minhas palestras e cursos. Pensou em algo negativo? Cancela imediatamente, pense em algo positivo para contrapor o anterior e vida que segue. Esqueça do assunto. Fazendo isso uma, mil, um milhão de vezes, vamos educando nosso subconsciente a não pensar na negatividade.

Alie isso a exercícios físicos, boa alimentação, terapias de linha do tempo, apometria, alinhamentos energéticos, psicoterapias, etc., para atuar nos três campos: físico, mental e espiritual. Esse é o primeiro passo.

CÉREBRO REPTILIANO

Eu disse anteriormente, que dentro da caixa craniana encontramos o encéfalo que se divide em três partes - Segundo o físico americano Paul McLean, o cérebro é dividido em três partes, sendo nomeado por ele como "cérebro trino". Agora vamos falar corretamente sobre essas divisões, para podermos falar do famoso cérebro reptiliano.

O encéfalo se divide em três partes, portanto:

Neocortex: também chamado de cérebro racional e estudado no item acima em sua divisão de lóbulos, trata-se da parte mais recente na evolução física do cérebro humano, localizando-se na parte externa do encéfalo. É onde concentramos nossa capacidade de aprendizado, traçar estratégias, raciocinar, onde encontramos o pensamento. De uma forma leiga, podemos associar essa parte do cérebro com armazenamento de memórias e nosso consciente.

Sistema límbico: localizado logo abaixo do neocortex, é responsável pelas emoções associadas a cada experiência que se vive. Assim, associamos essa parte com nosso subconsciente.

Cérebro reptiliano: também chamado de Complexo-R ou cérebro basal é localizado na base do encéfalo, ele é responsável pela manutenção das funções responsáveis pela sobrevivência imediata, incluso sensações de fome e sede por exemplo. Por isso, o associamos ao inconsciente.

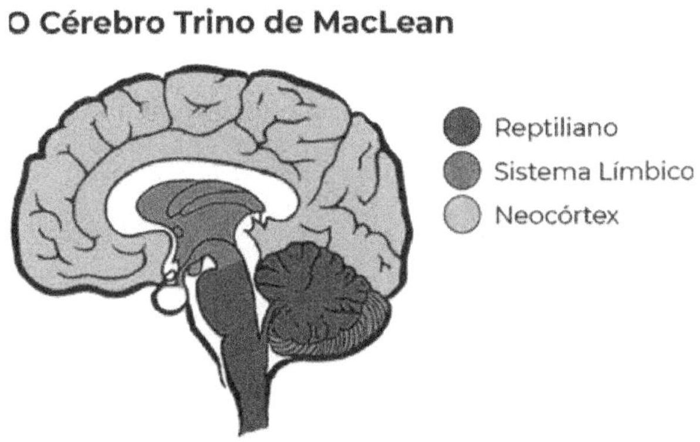

O Cérebro Trino de MacLean

Reptiliano
Sistema Límbico
Neocórtex

FIGURA 10: o encéfalo. Crédito: Internet.

O "apelido" cérebro reptiliano veio por causa da semelhança dessa parte do encéfalo com o cérebro dos animais reptilianos terrestres, os quais, basicamente, sobrevivem de instinto e reações ao meio.

Fazendo um paralelo às raças reptilianas no universo, não podemos dizer que elas têm essa mesma característica, até porque, o reptiliano mais limitado em nosso universo tem cerca de 700 pontos de QI, enquanto a média humana chega, com um certo esforço, a 100.

O que podemos sim falar, até porque isso também não é exclusividade de reptiliano, mas de diversas outras raças, é que eles não possuem um campo emocional (sistema límbico) altamente desenvolvido, concentrando-se, então nas características de memória, aprendizado e estratégia do neocortex e das reações de sobrevivência do cérebro basal.

A PIRÂMIDE DE MASLOW

Abraham Harold Maslow foi um psicólogo norte-americano que propôs uma teoria baseada numa hierarquia de necessidades de um ser humano comum. São cinco categorias de necessidades básicas humanas, representada por uma pirâmide conforme figura abaixo.

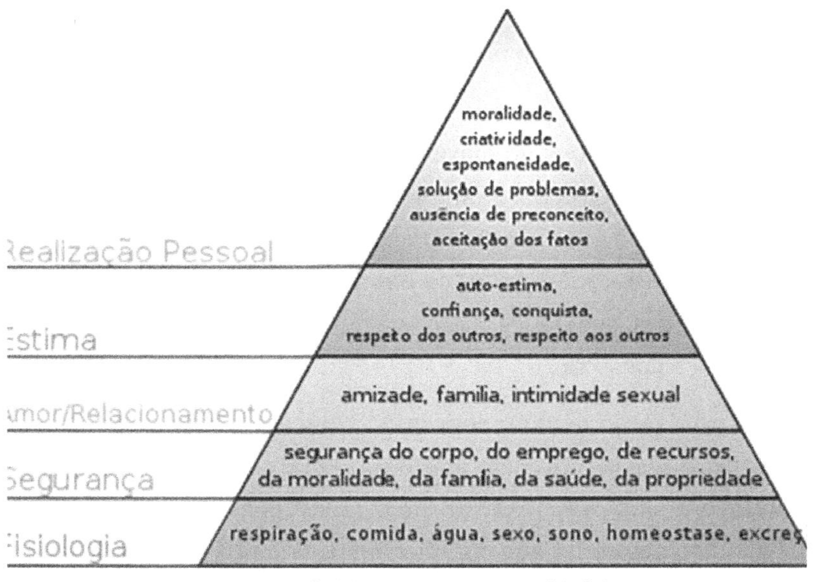

FIGURA 11: a pirâmide de Maslow. Fonte: Wikipédia.

Começando de baixo para cima, temos as necessidades mais básicas de todo ser humano e, segundo Maslow, não conseguimos avançar para as fases mais acima se não preenchermos satisfatoriamente a necessidade anterior.

Por exemplo, dificilmente um ser humano conseguira ter segurança na sua vida se não tem suas necessidades mais básicas preenchidas como comida, **água** e saneamento básico.

Outro exemplo, um pouco mais complexo e que pode ser dito, **é o de um indivíduo** que dificilmente terá uma boa autoestima, confiança em si próprio e respeito ao próximo sem estar satisfatoriamente preenchido no campo do relacionamento, seja familiar, amoroso ou de amizades.

Minha ideia nesse momento não é discutir a fundo essa representação, mas sim acrescentar algo nessa pirâmide: a espiritualidade. Eu a colocaria lá em cima da moralidade, no campo de realização pessoal.

Eu a coloco no topo, não só porque a realização espiritual (ou o Despertar) **é** o objetivo máximo de todos os seres encarnados e desencarnados nesse planeta, mas também porque dificilmente ela ocorrera se o individuo não tiver preenchido em sua vida - pelo menos num nível satisfatório - todos os demais degraus abaixo: necessidades fisiológicas, segurança, relacionamento, estima e um certo grau de realização pessoal.

Essa é a razão de eu repetir insistentemente, em meus cursos e palestras, que não tem como uma pessoa que está endividada, trabalhando de quatro da manhã até oito da noite, pegando ônibus lotado, chegando a casa e ter que cozinhar, limpar e ainda encontrar tempo para meditar, crescer seu conhecimento espiritual. Não **é** fisicamente possível.

Aliás, essa é uma das principais armadilhas para evitar o Despertar da humanidade. Por isso, inclusive, inseriram esse "voto de pobreza" que nos deixa sem saber como lidar com a energia do dinheiro.

"Ser rico é pecado, **é imoral e ser pobre é** que **é** legal." Falaremos mais a frente.

Nessa dimensão de 4D de espaço-tempo que vivemos, dinheiro **é** fundamental para realizações físicas. As realizações físicas são fundamentais para subir na pirâmide de Maslow e finalmente ter o equilíbrio e a tranquilidade suficientes para Despertar espiritualmente e declarar nossa independência.

Portanto, dinheiro é fundamental para o Despertar. Vamos fazer as pazes com ele?

FREQUÊNCIAS DA COMPOSIÇÃO CORPORAL HUMANA

O corpo físico humano encarnado nesse planeta, nesse momento - 4D do espaço-tempo, possui uma constituição química muito particular. Vamos listar abaixo os principais componentes.

- ***Água*** (55%): **É** nela que as moléculas do corpo se encontram e reagem quimicamente, como a transformação do ar em energia para as células. O sangue, por exemplo, é 92% água.
- *Carbono* (23%): a nossa composição solida é basicamente formada por cadeias grandes e complexas de átomos de carbono. Todos os músculos, pele, cabelos, etc.
- *Nitrogênio* (2.6%): ele se junto com o carbono para formar o ácido nucleico, o composto do DNA.
- *Cálcio* (1.4%): quase todo o cálcio no corpo humano está localizado nos ossos e nos dentes, sendo o minério mais abundante no corpo. Ele também rege a movimentação muscular e a coagulação do sangue.
- *Fósforo* (0.83%): ele armazena e transporta energia dentro das células e entre elas, mas a maioria se combina com o cálcio na formação dos dentes e ossos.

- *Cloro e Sódio* (0.27%): eles trabalham como válvulas, equilibrando a quantidade de **água** no organismo. O Sódio também se envolve na contração muscular que descreveremos a seguir.
- *Potássio* (0.2%): na movimentação muscular acontece uma reação nas células onde o potássio sai e o sódio entra, gerando o movimento necessário.
- *Enxofre* (0.2%): ligado a outros átomos, compõe proteínas como a insulina, que transporta a glicose do sangue (combustível) às células do corpo.
- *Metais em geral* (0.009%): Ferro, Zinco, Cobre, etc. (são sete no total). Dentre eles, o Ferro **é** o mais abundante se juntando a outras proteínas e formando os glóbulos vermelhos do sangue, transportando oxigênio para o corpo, seguido pelo Zinco que entra na formação dos glóbulos brancos que compõe o sistema imunológico (defesa).

Já falamos que tudo no Universo é energia e que tudo emite uma frequência de onda específica. A soma de todas as frequências é a Fonte, o Todo. Nosso corpo humano não é diferente.

O Todo e cada componente acima mencionado possuem uma frequência de onda específica e independente de nossa frequência espiritual. Cada mineral, cada substância, cada molécula, cada átomo possui sua frequência de onda específica e mensurável em Hertz (ciclos por segundo). Assim como o conjunto de componentes formam substâncias mais complexas que também possuem sua frequência de onda "coletiva".

Seguindo os exemplos acima, a água possui uma frequência. O cálcio outra, o Ferro também e o enxofre outra. A mesma frequência da molécula de Ferro que tem dentro do seu corpo, é a frequência do

Ferro encontrado no subsolo terrestre que é a mesma frequência do Ferro encontrado na Galáxia de Andrômeda. É o mesmo Ferro, é a mesma molécula, é o mesmo átomo!

Não quero entrar em fundamentos religiosos, mas como o assunto de Orixás está um tanto quanto na "moda" no Brasil, **é meu dever apontar que essa divisão** de frequências da Natureza universal é a base para o entendimento dos Orixás primordiais nas religiões espiritualistas com base africana.

Cada frequência de onda corresponde a frequência de um certo Orixá primordial, ou divindade, chame como quiser além dos chamados devas da Natureza e elementais. Quando dizemos, por exemplo, que um dos elementos do Orixá Ogum é o Ferro, estamos alinhando essa frequência de onda a essa divindade. Também por isso que se fazem oferendas com os elementos específicos de um Orixá. Ele "esta" ali.

Com esse conceito em mente, podemos afirmar então que todos os Orixás vivem no corpo humano. Sim, cada frequência de cada elemento físico-químico, ressoa com a frequência desse elemento no universo. Esse é o fundamento de termos que cuidar dos nossos Orixás, ou seja, de nosso corpo na Terra. Fazer a conexão com Gaia, a mãe Terra, a que abriga todos esses elementos. De onde vieram todos esses elementos e para onde eles voltarão um dia. Com a mesma composição, com a mesma frequência de onda, para formar e abrigar uma nova vida.

Capítulo 3

O DNA CÓSMICO

"A matéria é criada a partir da energia original e eterna que conhecemos como luz. Ela brilhou e as estrelas, os planetas, o homem e tudo na Terra e no Universo apareceram. A matéria é uma expressão de formas infinitas de luz porque a energia é mais antiga que ela."

Nikola Tesla

Comentamos no meu livro *A Resposta Para Tudo* um pouco sobre os Filhos Paradisíacos (engenheiros siderais, Filhos Criadores...), os verdadeiros "deuses" criadores dos universos. Para entender como surge a dualidade em nossa vida e no universo, temos que voltar um pouco no tempo e nos conceitos, continuando inclusive a estudar o DNA cósmico.

O Filho Paradisíaco seria uma das maiores hierarquias vibracionais dentro dos universos conhecidos até o momento. Esse pode ser o destino ou o caminho de todos nós quando fizermos o caminho de volta de fractal de alma até a nossa Supra Monada em direção à Fonte. Essa Supra Monada, inevitavelmente, foi criada por um outro Filho Paradisíaco e recebeu um objetivo de experiência naquele momento.

Foi assim que Anhotak foi criado a partir do Filho Criador chamado por nós de Sarathen. Essa "Monada gerente" - desdobramento de seu criador - recebeu o objetivo, a programação, para uma experiência diferente nesse novo universo (o nosso) que então estava sendo criado. Dentro da subdivisão de tarefas junto com outros engenheiros siderais, surgiu a ideia que agradou e foi adotada por todos naquele momento: a dualidade. Sendo assim, Anhotak desenvolveu seu trabalho dado por Sarathen focado na galáxia de Arconis a alguns milhões de anos luz da nossa Via Láctea.

Anhotak desenvolveu esse trabalho da dualidade durante muito tempo sem ter interferência externa de nenhum dos outros Filhos

Criadores ou seus respectivos gerentes. Na verdade, todos estavam muito interessados no que essa experiência de dualidade iria desenvolver e, assim, eles poderiam gerenciar a criação de raças como os reptilianos e insectoides e seguir adiante com o projeto de dificultar a subida de volta à Supra Monada. Visando, assim, o aproveitamento total das experiências únicas que proporcionava esse novo Universo.

O único problema que aparentemente não foi notado é que Anhotak, apoiado por Sarathen, desenvolvendo essa programação matricial de dualidade, colocou em sua proposta de evolução um teto - ou seja - suas criações não conseguiriam voltar à Fonte e sim, somente até ele (ou ela, pois o gênero não existe nesse nível). Além disso, toda a sua hierarquia de criação era baseada na força, conquista e vampirização de energias. Os mais fortes se alimentando dos mais fracos, pois suas criaturas tinham como objetivo primordial habitar mundos primitivos e ainda em formação e com condições inóspitas a maioria das espécies de outros Criadores, portanto, condições de sobrevivência precária dentro dos mundos em que se aventuravam. Juntando todas essas características de criação, desenvolvimento a conclusão que temos é a dos seres mais negativados (ou polarizados) do universo dentro da nossa visão terrestre.

Rodrigo Romo comenta em seu livro *Confederação Intergaláctica 2* (Ed. Madras, 2005) que "a dualidade deixa de existir somente quando a consciência se funde ao Cristo Cósmico, o que normalmente ocorre nas esferas da 8ª dimensão (consciencial). No entanto, Anhotak habita uma realidade de 15ª dimensão (consciencial), o que significa que existe uma dualidade intrínseca com a fonte criadora, que detém um propósito." Esse propósito é o que comentamos acima: de ter a experiência da dualidade, o que não acontecia antes desse experimento que, deixemos bem claro, nenhum dos Criadores sabiam no que ia dar pela característica inédita da experiência nesse universo.

Vale a pena lembrar algo que expomos no livro "A Resposta Para Tudo" (que chamarei de agora em diante somente de "Resposta") quando mencionamos a diferença entre as dimensões de densidade e dimensões consciências. No caso da segunda, mencionada no parágrafo anterior, é explicado que no nosso universo consciencial - o qual comparamos a um teclado de piano e as notas musicais - temos uma oitava, ou seja, 7 dimensões mais 1. A explicação do fim da dualidade então vem ao encontro com o que falamos, sendo que isso deve ocorrer no momento em que saímos consciencialmente dessa oitava de universo e entramos numa outro orbe consciencial.

Entretanto, é curioso observar que Anhotak é habitante da 15ª dimensão conforme mencionado, sendo assim, ele está quase no fim da segunda oitava consciencial (comparada com a nossa), ou seja, fora da dualidade como conhecemos. Mas mesmo assim, observa o resultado de seu experimento, gosta do que vê e aparentemente absorve e traz para a sua realidade atributos dessa dualidade, como o gosto pelo poder, adoração e vampirizacao energética.

Essa é a proposta de Anhotak e Sarathen e as Supra Mônadas criadas por eles, além de todas as Mônadas, os EU SOU, almas e fractais abaixo de cada um deles. Eles possuem uma forma distinta da nossa de vivenciar a realidade material, o que nos faz pensar que são seres "maus", quando no fundo foram criados assim.

Não é necessário dizer que esse projeto fugiu do controle - talvez até propositalmente. Anhotak e suas criações começaram a dominar galáxias inteiras, escravizar povos e expandir seu reinado incomodando e interferindo no trabalho de outros Filhos Criadores.

Uma das formas de escravidão que foi criada é a encarnação holográfica. A alma vive numa realidade cocriada por esses seres dominantes e fica lá, como "gado", sem saber realmente o que está acontecendo. Mas, também por esse cenário tenebroso, esses próprios seres encarnados começam a manifestar seu poder de cocriação mental também e deixam esse ambiente holográfico ainda mais caótico e sem controle. Nesse cenário é que são criados os chamados "Governos Ocultos" para manipular a população e sua cocriação, sem a necessidade de usar a força o tempo todo. Qualquer semelhança com nossa realidade não é mera coincidência.

Foi assim que agentes da "luz" infiltrados foram enviados a diversos mundos para tentar resgatar os seres que vivem nesses hologramas, através do despertar consciencial, contendo a expansão do império "negro da força" e resgatando o máximo de almas possíveis no processo. Essa infiltração ocorreu desde os mais altos níveis hierárquicos até o "terra-terra" nosso aqui em 3D/4D.

O PROJETO METRON

Aqui, tenho que mencionar o Projeto Metron que foi criado pelo Filho Criador conhecido como Metraton. O objetivo desse projeto era o de infiltrar nesse código matricial de Anhotak sua cocriação chamada de Código Crístico. Fazendo, assim, com que eles não tenham mais o teto de evolução e assim consigam voltar à Fonte como todos os outros serem dos universos, através da comunicação direta pela mudança do DNA cósmico.

Esse objetivo foi alcançado através da reencarnação de grandes seres de "luz" e portadores do DNA cósmico Crístico nas criações polarizadas reptilianas, insectoides e afins, nos diversos pontos do universo - tendo como um dos pontos iniciais a estrela de Rigel, nossa "vizinha" aqui em Orion. Cada vez que uma consciência dessa encarnava num mundo "rebelde" desses, seu DNA cósmico transmutava e consequentemente a evolução natural da espécie e modificações genéticas cirúrgicas - e o cruzamento natural acontecia com os demais, faziam com que o DNA físico se modificasse aos poucos, libertando esses seres do seu teto vibracional e consciencial imposto, os reconectando à Fonte Que Tudo É.

FIGURA 12: representação "religiosa" de Metratron. Fonte: Internet.

Essa é a razão do porquê temos seres dessas espécies do projeto original de Anhotak e Sarathen e que são mestres ascensionados e guias, hoje em dia, como os Dragões Alados e reptilianos, que nos ajudam na Terra como toda a linha da "palha" descrita na Umbanda e no Candomblé que esconde sua verdadeira aparência por causa do nosso medo e preconceito. Ex: Omulu, Cobra Coral, etc.

Imaginem o que toda essa situação gerou de desconforto, guerras e demais atritos entre os diversos povos no universo. Várias propostas foram feitas na tentativa de fazer todos viverem em paz através de tratados e divisões territoriais. Situação muito parecida com o que acontece hoje em dia em nosso planeta, quando nãoé interessante nem para a Aliança nem para o Governo Secreto uma guerra, pois todos sairiam perdedores. Mas, deixemos os problemas galácticos de lado e vamos focar na nossa realidade terrestre e como toda essa situação nos afeta e influencia.

O LIVRE-ARBÍTRIO

O motivo principal dado por algumas consciências no astral de termos essas forças "negativas" agindo em nosso dia a dia chama-se "livre-arbítrio". Na verdade, ele é a principal desculpa para nos manipular sem a interferência direta das forças "da luz". Ou seja, um lado usa esse argumento para manipular, dizendo que a escolha é nossa e o outro lado não interfere, pois não pode influenciar as nossas escolhas. Enfim, estamos sozinhos nessa. Mas, nem tanto.

Vamos entender então o que significa esse livre-arbítrio e quais são as diretrizes das forcas ditas da "luz" e ainda como operam as forças do lado "negro".

Se levarmos as definições ao pé da letra, as desculpas dos dois lados são muito boas. É, talvez, no campo moral que podemos ter alguma discussão.

O lado "negro" diz que não nos força a tomar atitude ou decisão alguma, apenas nos influencia e atua em nosso campo energético com a nossa "permissão". Coloquei a palavra permissão entre aspas, porque ela não é uma permissão aparente. Ela é dada a partir do momento em que tomamos uma atitude que vai de encontro com as diretrizes do "bem" – ou leis universais da harmonia, conscientemente ou não disso.

Por exemplo: se ficamos nervosos com o governo terrestre (nossos políticos), geramos um campo negativo frequencial e atraímos por ressonância vibracional as forças da oposição. Mas, em nenhum momento é levado em consideração que estamos nervosos com o governo porque somos manipulados pelo Governo Secreto que é encabeçado por essas mesmas forças.

Essa mesma "desculpa" em nosso âmbito terrestre é dada no âmbito planetário. Eles ("maus") estão fazendo isso porque a egrégora coletiva planetária vibracional dá essa permissão, portanto, estão respeitando esse livre arbítrio. Essa análise e conversa é infinita.

Já o lado Crístico diz que não pode interferir em nosso livre-arbítrio. Que nós somos livres para escolher entre o "bem e o mal" nessa nossa realidade de dualidade e que qualquer que seja a escolha, ela é levada como uma experiência e serve para o nosso projeto vivencial. Ótimo, mas se eu não me lembro das vidas passadas, se não tenho consciência cósmica, se sou manipulado cem por cento do tempo encarnado e desencarnado em todos os níveis dessa esfera planetária, como vou aproveitar nessa vida aqui na Terra toda essa experiência sem fim? Não tem como. Além disso, não faz o menor sentido um lado manipulando abertamente e o outro "aceitando" porque a escolha "é nossa". Algo não encaixa.

A minha impressão, é que na verdade as forças Crísticas evitam um confronto com as forcas da oposição ao máximo. Portanto, nosso planeta prisão fica nesse embate político eterno sem um ponto final nessa situação, além de não ser prioridade na agenda universal. Afinal, o que é esse pontinho azul na imensidão do espaço?

Nós, que na grande maioria seguimos a linhagem do Filho Criador, chamado Micah (Michael, Miguel), e que o seu desdobramento deu origem a Jesus Cristo na Terra. Temos, assim, uma linha de paz e amor em nossas atitudes e ações (escritos em nosso DNA cósmico) e que em algumas vezes nos leva a sermos enganados facilmente e dificulta nossa saída de situações difíceis, como as que vivemos nesse momento terrestre.

É bom deixarmos claro que essa ilusão de que "o bem sempre vence" não é necessariamente verdade. Até porque o conceito de "bem e mal" é bem dinâmico e discutível, pois o julgamento está no juiz - cada um tem a sua versão da verdade. O equilíbrio sim prevalecerá no universo, mas se não cuidarmos de nós mesmos, podemos ser mais uma vítima do lado da oposição através do escravagismo "eterno" ou ate mesmo da nossa desintegração através das bombas de quark como as usadas na Grande Guerra de Orion.

É inegável que uma batalha oculta já está acontecendo em nosso planeta faz tempo e também se estende para dentro de nós mesmos.

HIERARQUIAS ESPIRITUAIS

Animados por um sentimento de raiva, ódio, vingança e a certeza de poder que leva à escravidão através da dominação, cerca de aproximadamente sete bilhões e meio de anos atrás numa referência terrestre - portanto antes da criação da Terra -, começou uma revolta em nosso universo local. Como resultado, algumas raças, entre elas a reptiliana, se revoltaram contra a Fonte (ver capítulo "A rebelião de Lúcifer") e por causa disso começaram a se formar as primeiras hierarquias espirituais e divisões de raças em todos os planos.

Considerando as hierarquias que hoje ainda existem, a primeira nasceu entre "mestres" da estrela Mimosa da constelação de B Cruz, Sirius A e Alpha Carina da constelação de Aquila: a chamada hierarquia Crística Kumara, que se compunha de diversos "mestres ascensos" de várias partes do universo, que tinham evoluído a um nível de vibração de amor (equilíbrio) incondicional do Cristo (energia).

Entendendo como Cristo, não um ser o qual chamamos de Jesus, mas sim, a energia Crística universal de Amor (harmonia, não um amor de emoções). Eles vieram ensinar às distintas raças que, para se elevar e acelerar sua aprendizagem neste caminho de ascensão é necessário o Amor (equilíbrio) do Cristo (energia), sentir e viver esse Amor (harmonia).

À frente dessa hierarquia Kumara, se encontra o Ancião de 10 dimensões conhecido como Metraton (já mencionado anteriormente), comandando a encarnação desses mestres em distintos planetas e raças através do já explicado Projeto Metron. Assim, a proposta era expandir a energia de equilíbrio e amor em contrapartida à negatividade gerada pelas raças reptilianas e insectoides.

Em consequência, também apareceram novas hierarquias com o mesmo objetivo, como a Melchizedek. Sua função era de que cada membro se encarregasse exclusivamente de um planeta, dando cobertura e instrução tanto tecnológica, social, espiritual e genética quanto, também, selecionando quais almas poderiam ou não encarnar nesse mundo visando o equilíbrio e experiência de todos.

Um exemplo de hierarquia geneticista conhecida que trabalharam em nosso planeta, mas que depois, por diversos motivos, se negativaram ao extremo são os chamados Annunaki.

Dessa forma, os reptilianos começaram a sequestrar e matar seres humanos na intenção de extrair a genética Elohim (conexão com a Fonte) de seu DNA, não apenas para se tornarem tão poderosos como a Fonte, através de experiências híbridas genéticas, mas também para "derrotá-la".

FIGURA 13: pirâmide Hierárquica. Fonte: Internet.

No fundo eles não são bons nem maus, simplesmente não está em sua genética original sentir o amor da Fonte Criadora. Eles são movidos e orientados por instintos de sobrevivência altamente primitivos e de dominação e estão convencidos de que como são uma raça muito antiga têm o direito de estarem por cima das demais. Se uma raça não se curva a eles, às vezes as exterminam ou as escravizam.

É importante fazer uma reflexão nesse momento sobre negatividade, positividade, bem e mal. Como vimos, as raças não são boas ou más. Elas possuem programações genéticas as quais seguem à risca. O caso Reptiliano é um excelente exemplo: eles não possuíam o DNA das emoções como os humanos. Eles são programados para serem predadores e seguem essa programação. Não é bondade ou maldade. Não se pode falar que um tigre que caça uma zebra seja mau. Está em seu instinto, em seu DNA, em sua programação.

O conceito de bom e mau está muito relacionado à interpretação. Você, quando vai a um restaurante e come um *nuggets* de frango, provavelmente não se sente um tirano. Talvez a visão da galinha seja diferente. Os Reptilianos nos veem assim, como gado ou comida que serve para alimentá-los ou a algum outro propósito. Assim como, erroneamente, nos vemos os animais que habitam esse nosso planeta.

A partir daí, iniciou-se uma iniciativa de depredação réptil contra o ser humano, desde os experimentos genéticos com nenhum tipo de ética, chegando a executar autênticas atrocidades, a nosso ver. Um exemplo conhecido foi o que aconteceu com a raça dos conhecidos "Greys", que eram seres humanoides oriundos da região de Zeta Reticuli e foram geneticamente modificados para serem "serventes" de reptilianos muitas vezes.

Nas guerras realizadas em Orion essa raça Grey foi escravizada. Seu destino foi terrível, pois exterminaram praticamente todos e ficaram somente com uma parte, modificando-os geneticamente para serem facilmente controláveis e submissos aos seus amos repteis.

Os Greys até os dias de hoje são simplesmente lacaios, servos de seus amos fazendo o trabalho sujo de abdução e experimentos genéticos. São condenados geneticamente, sofrendo uma degeneração máxima. Reproduzem através de clonagem e seus clones saem na, maioria, defeituosos e estão desesperadamente tentando uma solução através de híbridos com humanos.

Eles abduzem mulheres humanas (Adâmicas) por toda a galáxia e fazem inseminação artificial. Depois extraem o feto com poucos meses de gestação - algumas vezes a vítima nem sabe que ficou grávida - para finalizar com a gestação em tanques preparados para tal finalidade. Infelizmente eles sabem que estão acabados como raça.

A título de curiosidade, estudaremos esse assunto mais a fundo lá na frente, muitas vezes nós aqui na Terra somos Greys (ou repteis, etc.) que encarnamos voluntariamente para servirmos de experimento genético para a nossa raça. A barreira de frequência imposta em nosso planeta faz com que não tenhamos lembrança disso e achamos que somos vítimas de abduções, quando na verdade somos voluntários em alguns casos. Atualmente, existem 22 diferentes projetos genéticos sendo executados em nosso planeta.

OS ARCONTES

Como vimos anteriormente, Micah, o diretor desse universo local, trouxe consigo um projeto ambicioso e de grande generosidade a respeito das criaturas criadas e a concessão do DNA Elohin ao projeto adâmico, o qual conecta esses seres diretamente com a Fonte.

Essa raça adâmica originária de Veja media três metros e meio de altura e era dotada de capacidades multidimensionais. Esses seres possuíam 12 hélices de DNA ativas e conseguiam fazer vibrar todas elas conjuntamente na frequência do amor puro da Fonte. Então assim, ativava-se a 13ª hélice Elohim que os conectavam com o criador universal e lhes capacitavam por direito de serem filhos celestiais. A título de comparação, apesar de nós termos as 12 hélices também potencialmente no nível etérico, somente 2 estão ativadas atualmente em nível físico (estudaremos isso mais a frente).

A cabeça da rebelião foi Sarathen, filha de Anhotek. Sabe-se que esses Filhos Celestiais são pura energia e não possuem sexo, mas parece que Sarathen se identificava bastante com a polaridade feminina.

Anhotek, um ancião de 10 dimensões tal qual o Arcanjo Metraton e pai de Sarathen, tentou fazê-lo desistir, mas ela se recusou e encabeçou a rebelião que quase culminou na extinção da raça Adâmica em nosso universo local. Sarathen e sua turma saíram a captura dos humanos Adâmicos para retirada de DNA. Suas experiências híbridas, entre suas raças e a raça Adâmica de Micah deu origem aos Arcontes.

Os Arcontes são uma raça etérica (5D e 6D do espaço-tempo) que vampiriza psiquicamente outras raças, criando caos e alimentando-se das emoções mais densas como vingança, ódio, sede de poder, sadismo, magia negra, etc. Eles precisam desse tipo de vibração para viver; sem julgamento de bem ou mal.

As raças reptilianas foram alvos fáceis dessa nova raça pois, dado a sua ambição territorial e de dominação, alimentavam-se assim de sua energia psíquica ectoplasmática, ou seja, de suas baixas vibrações. Essas criações nasceram e se espalharam pelos mundos reptilianos.

A sociedade dos Arcontes foi estruturada em castas, para manter o controle na mão de poucos através dos dogmas religiosos (qualquer semelhança não é mera coincidência). Eles possuem uma sociedade piramidal inflexível que desenvolveu tecnologias para manter as almas controladas e, quando morriam, apagavam suas memórias para mantê-las presas em seus níveis de castas (outra "coincidência").

Uma vez tendo dominado a galáxia de Arconis, eles começaram a invadir a galáxia de Andrômeda, nossa vizinha. Essa era uma galáxia de grande diversidade na época e que vivia em grande harmonia por não haver grandes conflitos. Por lá, ainda não se havia desenvolvido tecnologia de guerra e tampouco possuíam organização militar.

Para os Arcontes foi relativamente fácil se introduzirem psiquicamente no meio das raças de Andrômeda e causar danos, caos, guerras e outros sofrimentos. Além do mais, possuíam tanta tecnologia física quanto etérica provenientes da Confederação Galáctica, cedidas pelos Filhos Celestiais "desertores" (na visão dos aliados de Micah) os quais incluímos Sarathen (procurar novamente o capítulo "A Rebelião de Lúcifer").

Vale salientar que a Confederação Galáctica é formada por seres etéricos de alta categoria e comandada pelos Filhos Primordiais (tanto "a favor" quanto contra, na "oposição" da proposta de Micah – falaremos mais adiante dessa aparente dualidade). Ela visa garantir que o livre-arbítrio seja aplicado (conceito já debatido), e também "fiscaliza" as hierarquias de nosso Universo.

Foi então nesse momento que, a serviço da Fonte, a força da Confederação interviu pela primeira vez neste universo local. Devemos ressaltar que seus métodos são pacíficos: respeitar a vida e simplesmente fazer valer essa capacidade superior sobre a matéria para parar os conflitos. Somente sua presença e seus pensamentos já fazem o serviço de equilíbrio, trazendo de volta a harmonia cósmica onde atuam.

Lembrando que os Arcontes são entidades etéricas de pura energia, assim como suas naves.

Depois de muitos milhares de anos de trabalho duro, os Arcontes foram expulsos de Andrômeda e formou-se a federação de autodefesa de Andrômeda. Mas que com o tempo se converteria na Confederação Intergaláctica, com sede na estrela de Alcione das Plêiades (local onde o Sistema Solar orbita), englobando todas as raças físicas que estão em consonância com a federação dos planos etéreos ascendidos e que buscam, assim, evoluírem ao Criador ou à Fonte.

Infelizmente, escaparam do purgatório de Andrômeda algumas centenas de Arcontes que deram um salto para a constelação de Vega, começando assim a invasão da Via Láctea através da raça humana em seu planeta de origem.

Tiveram grande êxito dominando a mente das raças reptilianas de Orion, que começaram a massacrar e escravizar tanto humanos quanto Insectoides, dando início assim a grande guerra de Orion. Nos falta informação para enquadrar temporalmente a todos esses eventos, pois o tempo nãoé linear (como mencionamos sempre). Para se ter uma ideia, em alguns lugares a guerra já acabou (como para nós na Terra), em outros ela está acontecendo e num terceiro tempo-espaço ela ainda vai acontecer.

Sabemos, que em nossa realidade de tempo-espaço, a guerra ocorreu em tempos muito antigos, inclusive muito antes da formação da própria Terra, e o conflito se estendeu por muitos milhares de anos, afetando os territórios da Federação de Sirius e a pacífica Arturios, com a destruição e o genocídio de vários de seus mundos, além de uma larga lista de planetas e sistemas no quadrante do nosso universo local que foram afetados nesta segunda fase do conflito.

MAIS SOBRE A GUERRA DE ORION

A última grande ramificação da guerra de Orion foi na constelação das Plêiades. Os Reptilianos, em plena guerra, fabricaram outra hibridação com o DNA Adâmico: os Draconianos. Esses Dracos eram metade humano e metade "dragão" e, a partir daí, desenvolveram-se várias raças e sub-raças com o tempo.

Os maiores inimigos dos Reptilianos eram os seres felinos de Sirius Alfa, que eram seres de 3 a 5 metros de altura, com grande força, agilidade e ferocidade. Lamentavelmente, não era uma raça muito numerosa, mas atuavam em operações de combate corpo a corpo e lutaram lado a lado com os humanos durante toda a guerra. Afinal, éramos também sua criação. Também participaram raças Sirianas anfíbias e delfinicas, dando cobertura material aos Elohins (deuses criadores) que levaram adiante o projeto Adâmico.

A Confederação intervinha tentando pacificar os conflitos, mas esses se multiplicavam. A grande guerra de Orion colocou em perigo a sobrevivência da raça humana. Os exércitos reptilianos eram imensos: colocavam dezenas de ovos por vez, enquanto os humanos tinham uma cria em média por vez. Não havia maneira de igualar a luta.

Porém, num dado momento, um comandante e gênio geneticista e aliado humano, se rodeou dos melhores cientistas de que dispunha a federação e geraram clones humanos. Muitas raças já haviam praticado a geração de clones desde muitos milhares de anos, mas eram indivíduos pouco cooperativos, de comportamento mecânico, sendo que esses seguiam, então, preferindo usar robôs para uma série de tarefas.

Mas essa nova tecnologia de clonagem era muito superior, capaz de em algumas horas gerar clones com memória adaptada e recorrente desde a data em que foram criados. Em outras palavras, clones 100% operativos física e psicologicamente, com um fractal de alma, prontos para lutar.

Paralelamente se conseguiu desenvolver uma avançada tecnologia de clonagem industrial, algo parecido com a nossa incipiente tecnologia de impressoras 3D. Eles geraram fábricas que produziam tanto tanques de clonagem, casas, naves de cruzeiro de carga e combate em tempo recorde. Inclusive fábricas de clonagem que clonavam a si mesmo.

Tudo isso resultou na fabricação sem descanso de autênticos enxames de exércitos humanos perfeitamente equipados e as primeiras vitórias não demoraram a chegar. Os Reptilianos que tinham sua tecnologia e, sobretudo sua esmagadora superioridade numérica como vantagem, de repente viam tudo se ruir, sentindo algo que não estavam acostumados.

O pânico dominou prontamente o grande conselho reptiliano que se reuniu e já temia perder a guerra. Por isso, decidiu utilizar tudo o que estava ao seu alcance e começou a usar projéteis antimatéria devastadores, que por vezes provocava a formação de buracos negros.

Essas são as bombas de Quark ou antimatéria. Quando acionadas, elas formam um buraco negro local o qual suga toda a matéria do planeta atingido suas luas e eventualmente todo o sistema ao seu redor, desintegrando toda a matéria física e espiritual. Nesses casos, há a morte cósmica do Espírito encarnado na dimensão atingida - são desintegrados por completo e suas partículas voltam à Fonte.

A resposta da Federação não demorou e eles utilizaram também arma de antimatéria com as mesmas consequências acima mencionadas. Tudo estava um caos, colocando em perigo a própria órbita da Via Láctea e de seus sistemas, afetando assim as demais galáxias ao seu redor, pois cada sistema que era eliminado modificava todas as relações gravitacionais entre os corpos.

Nosso próprio sol de nosso sistema solar formava originalmente um sistema estelar triplo, sendo acompanhado por uma estrela anã branca e uma estrela anã marrom e cada uma delas com seus próprios planetas. Por efeito desses desequilíbrios orbitais e gravitacionais provocados pelas bombas de antimatéria, nosso jovem sistema solar ainda em formação foi deslocado para este quadrante atual e esse sistema ternário desfeito - apesar de que a anã marrom já foi descoberta, mas não divulgada. Hoje, portanto, pertencemos a um sistema binário.

Além disso, nosso sistema estava mais perto de outros como Alfa Centauro e Sirius, e todos por sua vez estavam mais próximos ao setor de Sirius B e Rigel, a gigante azulada da constelação de Orion (a qual fazemos parte).

FIGURA 14: constelação de Orion e suas estrelas. Fonte: Apollo11.com.

Como se pode imaginar, nesses tempos a Terra ainda não havia se formado. A nossa lua era um corpo rochoso natural que vagava no espaço. Ela foi artificialmente modificada e utilizada como base orbital por parte da Federação de Sirius, e por efeito dos destroços desse sistema originalmente triplo, vagou abandonada por milhões de anos, atraída muito tempo depois pela gravidade de Júpiter ao nosso sistema atual.

Com a ocorrência de todos esses cataclismos, a confederação redobrou os esforços para tentar acabar com o conflito, já que estava chegando à loucura de pôr em perigo a própria integridade física da galáxia.

Por fim, a confederação decidiu impor a paz para o conflito independente do livre-arbítrio dos envolvidos (veja só), dividindo a galáxia em setores e sem ganhadores. Esse seria o chamado tratado de equilíbrio, firmado ao redor de cinco bilhões e meio de anos atrás numa referência de tempo terrestre (mais ou menos na época da criação de nosso planeta).

De um lado, ficaram as raças a favor do projeto Adâmico de Micah como os humanos e os Felinos e de outro, os contra, incluindo os reptilianos e os Arcontes. No meio se formou a chamada Zona Neutra, que separa as duas áreas e é supostamente monitorada pela Confederação.

Finalmente chegou então o esperado fim da guerra de Orion. Milhões de seres humanos haviam sofrido em guerras que duraram milhares de anos. Chegamos a destruir sistema solares inteiros, estrelas e mais de 30 planetas habitados com a eliminação permanente de suas almas em alguns casos (trilhões).

Em outros tempos, grandes impérios humanos como o Pleidiano e o Siriano haviam perdido boa parte de seu território no chamado tratado de equilíbrio, imposto pela confederação.

A federação reptiliana ao ver que a confederação não permitiria a repetição de grandes conflitos, trocou a estratégia com infiltrações e ataques relâmpagos de curta duração. Foi a maneira deles de enganar a intervenção dos esquadrões celestiais.

A confederação humana tratou logo de encerrar a celebração pelo fim das hostilidades, já que enfrentava um novo problema que não havia previsto. Durante o desenvolvimento do conflito, haviam se fabricado mais de 3 trilhões de clones humanos e não se sabia exatamente como organizar todo esse grupo. Ninguém queria matá-los, afinal eram pessoas completas em todos os sentidos, inclusive com fractais de alma.

A federação não encontrou uma maneira melhor de organizar a sociedade que copiar o modelo da colônia de castas. Quando uma pessoa (clone) morria, levavam seu corpo estelar e os mantinham em hibernação. Esse corpo estelar permanece então em estado similar ao criogênico (congelado, estases) enquanto estamos encarnados nesse plano como o terrestre.

Enquanto acontece a hibernação, essas almas são levadas a um *super serafim* onde suas memórias são descarregadas. Elas então têm suas memórias apagadas e se utilizam imediatamente em outro corpo que a federação designa para encarnar em qualquer um dos seus mundos. Dessa forma, as almas reencarnam em um corpo que não guarda nenhuma recordação da encarnação anterior, não sendo dessa forma possível evoluir / experenciar livremente.

Adiciono ainda a consequência cármica dessa alma em assumir um corpo com o qual não tem nenhuma relação genética. Isso leva a essa alma a assumir carmas e predisposições genéticas que não fazem parte de sua caminhada, levando consigo toda a carga ancestral. Assim, ao encarnarem, enfrentam dificuldades que não teriam que enfrentar, pois não fazem parte de sua "evolução" e sim, são simplesmente consequência por assumir esse corpo que não os pertence.

Sendo assim, não se tinha a liberdade de escolher sua próxima encarnação e quem decidia era a Federação. Esse processo é muito similar ao explicado em diversas fontes, sendo uma das mais conhecidas o livro de Urantia que é uma espécie de bíblia Pleidiana, ou ainda, o que algumas civilizações Pleidianas que seguem modelo de castas até o dia de hoje, ainda utilizam como referência.

Apesar do fim da guerra, a semente da energia anticrística e o elo Arconte de controle foram implantados em vários mundos. A confederação tampouco estava tranquila e os havia custado muitos milhões de anos para parar as hostilidades e tinham que tomar medidas para evitar novos conflitos. Uma das medidas foi o já mencionado Projeto Metron.

Esse projeto sem dúvidas provocou guerras e discordâncias entre os próprios reptilianos. Pouco a pouco os mais imperialistas foram hibridando com seus conterrâneos evoluídos no Amor, e em torno de 250 encarnações, os primeiros reptilianos começaram a ascender e formar as primeiras ordens reptilianas Kumara de amor Crístico.

Não se pretende dizer que hoje a maioria dos reptilianos são bons ou maus, mas graças ao arcanjo Metraton e seu projeto Metron, hoje começa a ser minoria os reptilianos da antiga matriz genética original.

Atualmente, a maioria dos reptilianos no Universo estão em um caminho de evolução lenta, porém constante. Alguns começam a perceber sentimentos como ternura, compaixão e o despertar interior de sua psique. Uma luta pela dualidade, mas todo o caminho começa sempre com o primeiro passo.

É importante lembrar que os reptilianos têm uma inteligência fora do comum comparada com a nossa. Seu QI pode chegar até 700-800 enquanto o humano fica em torno de 100. O desafio que eles têm, realmente, é sentir as emoções que nós sentimos. Eles são seres extremamente racionais e, por isso, nos parecem "maus" nesse conceito de dualidade de nossa realidade.

Essa nova hierarquia reptiliana de Mestres Ascensos se organizava em diversas fraternidades localizadas propositalmente na constelação de Orion, com o objetivo de harmonizar a energia negativa reptiliana e mudar o holograma de guerra.

Essas fraternidades possuem distintos nomes. Alguns falam da fraternidade do raio azul, violeta e dourado. Outros falam da fraternidade das três Marias do cinturão de Orion, que também abriga um dos maiores portais desse Universo local e que se comunica com os níveis suprafísicos da matéria escura, onde residiram as entidades de deuses e as distintas hierarquias mais elevadas de arcanjos. Outros ainda os denominam os centuriões de Orion e que fazem parte dos guardiões do tempo.

Haviam sido detectadas informações de que a nova estratégia reptiliana seria a de viajar e modificar as linhas de tempo nos mundos de quarta e quinta dimensão do espaço-tempo. Se isso fosse realmente levado adiante, seria contra a primeira diretriz da federação, a de nãointerferência nas raças em desenvolvimento, desde que como raça unificada livremente, qualquer um poderia tomar contato com a própria federação.

A vigilância e controle a esse boicote reptiliano nas linhas do tempo em algumas civilizações seria responsabilidade direta dessa hierarquia reptiliana "positiva". Infelizmente, a hierarquia reptiliana que têm influência no planeta Terra se mantém na pauta de atuação anticrística e a guerra temporal em nosso planeta é clara e cristalina.

Com o advento dos milênios, muitos mundos reptilianos se separaram de seus irmãos regressivos e se uniram a federação conjuntamente com algumas raças insectoides. A mais destacada, seria a raça insectoide Antariana.

Isso fortaleceu grandemente a federação, permitindo um período de florescimento e evolução cósmica. Ainda assim, passados milhões de anos, a federação seguiu com dois assuntos pendentes sem solução: o primeiro seria o sistema de castas que bloqueava a livre ascensão dos indivíduos e apagando suas memórias, impossibilitando a união desses grupos de almas individuais ao deus "sou", do verbo "ser".

A segunda questão seria a dos planetas de exclusão ou quarentena. Esses 37 planetas do nosso quadrante no Universo são citados também no livro de Urantia. Foi uma solução que encontrou a federação para encarnar as almas mais afetadas pelos Arcontes e que podiam evoluir sem contaminar a outros mundos com seres mais evoluídos.

Sim, o planeta Terra faz parte dessa quarentena sendo assim um dos 37 mundos de exílio ou prisão, para falar claramente.

FREQUÊNCIAS PLANETÁRIAS

Falamos anteriormente e repetimos sempre o fato de que tudo no universo possui sua frequência de onda característica. Falamos dos átomos, das moléculas e das substâncias que compõem o corpo humano, por exemplo.

Num olhar mais macro, o mesmo vale para todo o universo.

Já vimos no livro *Resposta* que a afinação universal - ou frequência universal dentro da nossa realidade de 4D no espaço-tempo, é de 432Hz (Hertz - ciclos por segundo). Sabemos também que a frequência de nosso planeta - denominada Schumann - estava em 7.83Hz quando descoberta (hoje varia em mais de 30Hz com facilidade).

Assim como a Terra, os demais planetas de nosso sistema solar também possuem sua frequência de onda própria, fazendo a sinfonia do sistema local. É por isso que o movimento dos planetas nos afeta aqui na Terra e o estudo disso, a Astrologia, foi deturpada e ridicularizada. Mas isso é assunto para um livro futuro. Vamos agora conhecer as frequências dos planetas e como que, superficialmente, isso nos afeta.

- *Mercúrio* - 141.27Hz: interfere basicamente na comunicação (fala) e confiança pessoal.
- *Vênus*-221.23Hz: beleza, amor, sexualidade, sensualidade e harmonia.
- *Terra*-7.83Hz: memórias, rejuvenescimento, equilíbrio, tolerância e ancoramento de energias.
- *Marte*-144.72Hz: energia, humor, força e foco.
- *Júpiter*-183.58Hz: sucesso em geral, crescimento, criatividade, poder e generosidade.
- *Saturno*-147.85Hz: concentração, resgates, estrutura e ordem.
- *Urano*-432Hz: harmonia universal, calma e tranquilidade.
- *Netuno*-211.44Hz: conexão com o inconsciente e com os sonhos lúcidos.

É importante mencionar que esses assuntos ligados a essa frequência, só funcionam se todas elas estiverem alinhadas como estão e relacionadas ao corpo humano, na sua interação com nossos componentes corporais, mentais e espirituais e suas correspondentes frequências.

Como uma nota, chamo a atenção da frequência cerebral humana continuar a 7.83Hz, mas a terrestre não. Como já dissemos, a frequência Schumann está facilmente e constantemente acima dos 30Hz, já tendo dado picos esporádicos de mais de 180Hz. Isso muda toda a inteiração entre as frequências em todo o sistema solar e consequentemente seus efeitos em nossas vidas.

Além disso, toda a frequência dos planetas está sofrendo a mesma interferência que a Terra está, portanto, essa tabela acima fica sendo o referencial, mas não é mais o "escrito em pedra". Com tamanha variação frequencial hoje em dia, diria que ninguém mais tem certeza do aspecto e do impacto preciso na relação entre os corpos universais e nossa vida aqui nessa dimensão e realidade.

A ATIVAÇÃO DO DNA ADORMECIDO

É bom esclarecer mais uma vez a diferença entre o DNA físico, humano, e o que chamamos de DNA cósmico ou código criacional. O físico é aquele que estudamos no capítulo anterior formado por genes, proteínas e tem dois filamentos que formam a codificação da formação do corpo humano e de seu funcionamento.

Já o que chamamos de "DNA cósmico" se trata de um código da criação, que sim interage com o DNA físico, mas não é detectável pela ciência humana nesse exato momento da história.

Portanto, quando falarmos de ativações de DNA, ativações de filamentos de DNA, estamos falando do DNA cósmico e não do físico. Quando falarmos de cocriação de doenças, curas, ou qualquer processo físico, daí sim, estamos falando de ativação ou desativação de DNA humano na 4ª dimensão de espaço-tempo.

Essas ativações e desativações de DNA físico e cósmico acontecem o tempo todo, estejamos conscientes disso ou não. As cocriações através das emoções do subconsciente interferem no funcionamento do nosso corpo e determinam seu funcionamento. O mesmo acontece com o DNA cósmico.

Você querendo ou não, já estamos tendo uma mudança forte no DNA cósmico de toda a humanidade. Toda a abertura de consciência que está acontecendo por conta da era do despertar - pela passagem do sistema solar no cinturão de Fótons principalmente, faz com que filamentos desse DNA sejam ativados. O resultado é uma melhora geral - inclusive física - como o contato com o nosso EU, projeções astrais conscientes, absorção de informação espiritual, interesse pela espiritualidade, desenvolvimento de mediunidade e por aí vai.

Agora, também não adianta esperar que somente as ações externas ativem seu DNA cósmico que não vai dar certo. Não adianta estarmos passando pelo cinturão de Fótons e você comer comida lixo, assistir novela, BBB e notícias na televisão, ficar nervoso no trânsito todo dia e por aí vai. As nossas atitudes e pensamentos definem nossa frequência e é essa frequência de onda que vai estar ressonante ou não com a externa, para então acontecer (ou não) a ativação do código criacional. Ou seja, cabe a você escolher o que quer.

Os dois filamentos físicos do seu DNA estão entrelaçados com os demais filamentos que existem em vários níveis multidimensionais. No total, para fim desse estudo, temos treze filamentos atuando, sendo desses, doze nos corpos físicos e espirituais e um que falamos ser a conexão com a Fonte. Os cientistas sempre vão ter somente os dois filamentos entrelaçados de DNA em qualquer foto ou pesquisa tradicional que fizerem, pois estão se limitando a verificar somente a nossa quarta dimensão no espaço-tempo.

O que os cientistas não vão entender tão cedo é que existem mais filamentos que surgem em pares nas demais dimensões. Portanto, temos 2 filamentos físicos na quarta, dois filamentos na quinta, dois filamentos na sexta, dois filamentos na sétima, dois filamentos na oitava, dois na nona e um último simbólico de ligação com a Fonte, como já mencionei.

Na verdade, essa contagem de dois por dimensão não é muito correta, pois não existe 4D ou 5D, o que existe é a multidimensionalidade, mas manteremos assim o raciocínio para fins pedagógicos.

FIGURA 15: Flor da Vida e a referência do DNA cósmico.

Na figura acima temos uma ideia de como essa relação entre os filamentos ocorre entre o DNA físico (a dupla do meio) e o DNA cósmico (a dupla em volta). Ali, temos somente 2 filamentos físicos e 2 filamentos etéreos, mas já deu para ter uma ideia de como interagem. Vejam a relação dessa inteiração com a Flor da Vida – uma das principais figuras da Geometria Sagrada, que estudaremos no próximo capítulo.

Sendo assim, cada hélice de filamento do DNA vibra numa frequência de onda diferente, existindo assim numa dimensão superior a anterior.

Cientistas russos divulgaram uma pesquisa dizendo que o DNA físico humano não é somente um conjunto de códigos para a formação e funcionamento de um ser vivo, mas também é utilizado como banco de informações, ou seja, armazenam dados e que cerca de

90% do nosso código genético tem essa função. Cientistas inclusive já vem a possibilidade de usá-los como memória mesmo, armazenamento de dados físico, como na reportagem da revista TechTudo do dia 13/07/2018 com o título "DNA pode revolucionar o armazenamento de dados", sugerindo que possamos guardar nossos arquivos em moléculas de DNA. Como um *pen drive* de computador.

Imaginem, então, como o DNA armazena tudo o que acontece com o nosso corpo e as consequências disso para nossos descendentes. Essa informação foi confirmada por cientistas na reportagem da BBC do dia 26/08/2015 intitulada "Pais podem transmitir traumas aos filhos pelos genes, creem cientistas". Para chegar a essa conclusão, cientistas analisaram a composição genética de descendentes do holocausto judeu na 2ª guerra mundial e acharam provas físicas que eles são mais propensos a sofrer problemas ligados ao estresse.

O mesmo acontece com o DNA cósmico. Tudo o que nos acontece em nesse planeta, no período entre vidas e o que nos aconteceu em outras vidas, antes de virmos para a Terra, também está lá gravado em nosso DNA cósmico e interfere em nossa vida atual da mesma forma.

Agora imagine a junção do DNA físico com todos os traumas dos nossos antepassados que foram utilizados para a formação daquele corpo (acredita-se que o DNA seja afetado até a 15ª geração), com a informação do DNA cósmico com toda a nossa ancestralidade universal.

Imagine o que acontece quando juntamos um trauma ou bloqueio cósmico que seja ressoante com um trauma ou bloqueio físico dessa encarnação, perante uma situação que estamos enfrentando agora, nesse momento. Certamente nós, como consciência, vamos puxar imediatamente todas as informações cósmicas e físicas para o agora e reagir de acordo com as emoções que aquilo nos causou.

A diferença é que no DNA físico não fomos nós que passamos por aqueles traumas. Nós os herdamos assim que encarnamos naquela determinada família. Sim, nós passamos a assumir os efeitos de todas as ações de nossos ancestrais - está tudo lá, no DNA. Na pesquisa que vimos acima, as pessoas estudadas não tinham passado pelo holocausto. Elas não fizeram nada. Não era nem nascidas. Mas foram elas que sofreram as consequências físicas desse trauma que foi passado hereditariamente.

É por isso que temos que nos "limpar" e limpar também os nossos ancestrais de todos esses *imprints* (traumas, bloqueios físicos). Assim, abrimos caminho para nos "limpar" espiritualmente, ajustando o DNA cósmico. A partir dai passamos a ter condições de ter controle da ativação do DNA cósmico sadio, útil para o Despertar, no momento presente. Essa ativação começa a partir do momento em que temos consciência de sua existência, conectando com o nosso verdadeiro EU e, consequentemente, ativando todos os doze filamentos de DNA multidimensionais e no final, o 13° com a Fonte.

É importante mencionar, mesmo vivendo no meio de tantas regras, técnicas, decretos, discursos, cursos, etc., que mais importante do que decorar palavras, ter um passo a passo para ativações ou depender de terceiros para qualquer coisa é ter a consciência de que todos nós somos UM e estamos conectados. A jornada é individual, mas não precisa ser solitária. Quando um conecta, fica mais fácil o outro conectar. Portanto, use seus sentimentos e sensações para ativar seu DNA cósmico. Sinta mais do que faça qualquer outra coisa. Não importam as palavras ou a ordem de fazer uma coisa ou outra. Apenas sinta.

DNA, LUZ E CAMPOS MAGNÉTICOS

David Wilcock, no capítulo dez de seu livro "*The SourceField investigations*", traz diversas informações sobre a relação das moléculas físicas de DNA e as não físicas (cósmicas) com a partícula da luz (Fóton) e campos magnéticos.

Ele apresenta provas de que doenças como o câncer, por exemplo, nada mais são do que perdas de coerência na forma com que armazenamos Fótons em nossos corpos. Todos os cancerígenos atuam numa frequência de onda de 380nm, por exemplo.

Uma das formas de colocar nossos corpos novamente em coerência no armazenamento de luz é estando sob o efeito de uma pirâmide (cinco lados) que cria, através da ação da captação de frequência universal e através da geometria sagrada, um campo eletromagnético não somente dentro, mas em toda a sua volta. Um campo **tão poderoso que atua sob os corpos de todos os seres vivos - animais e plantas inclusos**, harmonizando tudo ao seu redor. Inclusive há relatos de plantações que crescem mais e possuem melhores taxas de produção quando sob o efeito da pirâmide.

Ela devolve a coerência para o armazenamento de Fótons em nossos corpos.

Esse é o princípio da cura energética. Nós podemos mudar ambientes e curar pessoas simplesmente por estarmos próximos ou no mesmo ambiente de pessoas que precisem dessa coerência. Nossos corpos astrais - ou corpos de luz (!) - interagem com os corpos da pessoa, harmonizando e consequentemente curando quem está dentro do campo de atuação.

Essa é a razão a qual cursos presenciais são e serão sempre insubstituíveis para que o processo do Despertar esteja completo.

Precisamos estar no mesmo ambiente por algumas horas para estarmos todos alinhados e em coerência no armazenamento de Fótons - mas, não é só isso.

David ainda comenta que o DNA cósmico absorve os Fótons (luz) do ambiente em que está - como um "mini buraco negro", conservando essa informação por até 30 dias, mesmo se essa molécula física de DNA for retirada.

Isso quer dizer que, além da possibilidade de alinhamento e volta da coerência dos Fótons em nossos corpos, ainda absorvemos toda a informação do ambiente retendo isso em nossos corpos por um mês. Por isso que temos cursos presenciais e não somente vídeos pela internet.

Mas isso também tem um outro lado. Imagine agora todos os lugares que você frequenta: trabalho, clube, casa, academia, bares, danceterias, etc. Você está absorvendo as informações de todos eles. Por isso é fundamental que escolhamos muito bem onde frequentamos e com quem andamos.

O comportamento do DNA físico e do DNA cósmico obedece a uma frequência universal e a um campo magnético que permeia tudo em nosso universo o qual David chama de "Campo da Fonte".

Podemos observar como isso acontece através do experimento dos cientistas Geoff Baldwin, Sergey Leikin, John Seddon e Alexei Kornyshev publicado no *JournalofPhysicalChemistry* em 31 de janeiro de 2008, onde após a colocação de diversas moléculas de DNA em **água** salina com identificação de produto fluorescente para o reconhecimento, as moléculas de DNA semelhantes se juntaram após um período de tempo sem que nenhuma ação externa fosse feita.

Foi como se elas se comunicassem por "telepatia". Aliás, a reportagem que fala do experimento em inglês do *Phys.org* tem como título "Telepatia genética? Uma nova e bizarra propriedade do DNA". O que David sugere é que o "Campo (eletromagnético) da Fonte" faz a comunicação entre as moléculas e que sua frequência as arranja como duplas hélices - o formato do DNA físico.

Algo mais curioso ainda pode ser observado através do experimento do Dr. V.N. Tsytovich em 2007, onde partículas inorgânicas de pó se rearranjaram em forma de dupla hélice como um DNA - inclusive interagindo entre si como se fossem orgânicas - após serem suspensas numa carga de plasma - assim como no espaço sideral, publicado no *Science Daily* em 15/08/2007. O Dr. Tsytovich as classificou como moléculas vivas inorgânicas, pois elas eram autônomas e se reproduziam.

Por um lado isso serve de reforço à teoria de que um campo eletromagnético universal exista, mas também levantam questões referentes à vida extraterrestre e se ela não seria formada por algo diferente do carbono - como nós somos e conhecemos.

No dia 15 de marco de 2006, uma publicação no site *Space.com* revelou que pela primeira vez na história uma estrutura helicoidal - como a do DNA - foi observada numa nebulosa perto do centro de nossa galáxia (ver figura 16). Forcas eletromagnéticas universais distorceram essa nebulosa para conferir o formato de um DNA, contrariando todas as observações até então que se formavam em formas elípticas ou aparentemente amórficas.

Um outro experimento conduzido pelo ganhador do prêmio Nobel Jacques Benveniste, provou que o DNA produz sinais eletromagnéticos mensuráveis quando está diluído em **água**. Esse sinal pode ser gravado, transmitido e retransmitido em outro tubo completamente selado do mundo exterior aonde o DNA vai se replicar através de reação de cadeia da polimerase (técnica de cópias da biologia molecular), apesar da completa ausência do DNA original no tubo de destino.

FIGURA 16: estrutura helicoidal de uma nebulosa. Fonte: NASA/JPL-Caltech/UCLA.

Em outras palavras, o DNA foi replicado através do envio e recepção de sinais eletromagnéticos sem nenhuma interferência física humana. Isso acontece somente quando o tubo do DNA original submerso em **água é** colocado a uma frequência de 7Hz (bem próxima a Schumann original e a do cérebro humano) num período de dezoito horas.

A conclusão disso tudo é que a vida pode se propagar em meios que não fazemos ideia que aconteçam através da interação de campos magnéticos, frequências e Fótons no Universo. Junte essa informação com o que estudamos no *Resposta* sobre entrelaçamento quântico e temos o universo conectado. Todas as estruturas de DNA do universo podem coexistir nesse Campo Magnético da Fonte, podendo ser manifestado conforme as leis quânticas.

Uma visão interessante que deriva desse pensamento vem do paleontólogo, astro biólogo e biólogo evolucionista britânico Simon Conway Morris o qual diz que a evolução no universo é convergente - aponta sempre para as mesmas saídas, sendo inclusive previsível e com implicações metafísicas. Sendo assim, ele nos diz que os seres extraterrestres devem se parecer inevitavelmente conosco - com formato humanoide.

Capítulo 4

GEOMETRIA SAGRADA

"Tudo é luz. Em um de seus raios está o destino das nações, cada nação tem seu próprio raio naquela grande fonte de luz que vemos como o sol. E lembre-se, não há homem que tenha existido e que não tenha morrido!"

Nikola Tesla

Muitas culturas, filosofias e doutrinas na história da humanidade dizem que há um ciclo natural de cada civilização no planeta Terra. Há quem diga que esse ciclo seja de aproximadamente 13,000 anos, coincidindo com uma meia volta do Sistema solar ao redor de Alcione.

Uma das principais formas de preservação de conhecimento é através de símbolos universais utilizando a Geometria Sagrada - a linguagem do Universo. Esses símbolos são a fundação hoje em dia de diversas religiões, culturas, movimentos, e até mesmo de empresas no mundo todo.

Tudo no Universo é geométrico. Geometria Sagrada está em tudo. Desde os maiores corpos celestes, até a menor partícula subatômica. A chamada Proporção Divina está inclusive em nossos corpos, nas plantas, nos animais. A criação não poderia ser diferente.

A FLOR DA VIDA E O INÍCIO DE TUDO

Existe um padrão geométrico para toda criação no universo. Uma figura geométrica que representa tudo que há. Deu-se o nome dessa geometria de Flor da Vida.

FIGURA 17: Flor da Vida. Fonte: Internet.

A Flor da Vida é o padrão de toda a criação, não somente o que é material, mas todas as coisas imateriais como o nosso pensamento, a música, etc., tudo está representado na figura acima. Ela é encontrada em todas as sociedades antigas como no Egito, Irlanda, Turquia, Israel, China, Grécia, Alemanha, Índia, Islândia, etc., representada de diversas formas, mas curiosamente com o mesmo nome.

Inclusive foram encontrados mais de duzentos desenhos de estudos diferentes de Leonardo da Vinci – um dos maiores gênios da história da humanidade – sobre a Flor da Vida. Dizem que esses estudos foram a base para todas as suas invenções, baseadas também na proporção divina.

Existem treze sistemas de informação que têm sua origem na Flor da Vida. Um desses sistemas é a realidade física em que vivemos e nós vamos ver agora como ela funciona.

O primeiro passo é entendermos como ela é formada. Peço agora toda a atenção para seguirmos a linha de pensamento da criação e entendermos o real significado dessa figura.

Imagine o Todo, a consciência suprema universal, "flutuando" pelo vácuo dos universos. Nada existe nesse instante. Somente o Todo, "inteligência suprema, causa primaria de todas as coisas". Nesse momento, Ele resolve expandir a consciência a sua volta o máximo possível sem se mover, formando assim um círculo ao seu redor.

FIGURA 18: o Todo e sua consciência expandida.

Já vimos no livro *A Resposta Para Tudo*, que o círculo é a geometria mais básica, representando a divindade, o Todo, sem início nem fim. O que justifica em nosso caso acima a geometria criada a partir da expansão da consciência da "causa primeira de todas as coisas" (*Livro dos Espíritos*, Allan Kardec, pergunta 1).

Nesse momento, o Todo está ciente de tudo que tem a sua volta e de tudo que acabou de criar pela expansão da sua consciência e se move até o extremo desse "campo" criado e repete a ação. Expande novamente sua consciência criando um novo campo circular ao seu redor como vemos na figura abaixo.

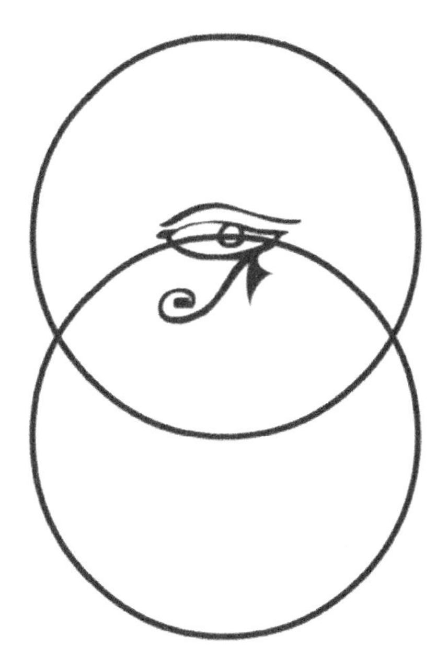

FIGURA 19: Novo círculo criado pelo Todo.

Reparem que agora temos a figura geométrica da Vescica Piscis (dois círculos entrepostos), outra forma básica da Geometria Sagrada, também já estudada no *Resposta*. Esse espaço de intersecção dos dois círculos contêm uma quantidade inimaginável de informação como os números 2, 3 e 5 que se repetem diversas vezes na criação e também toda a informação da luz, que veremos mais adiante.

O Todo continua a se movimentar e repetir a ação indo para o canto direito ou esquerdo da figura, de uma forma proporcional ao desenho conforme representado na figura abaixo, a qual forma a "Santíssima Trindade" (na próxima figura, vire a cabeça para a esquerda).

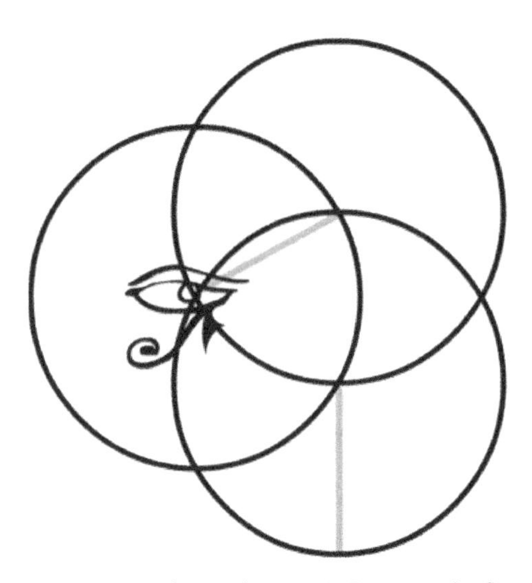

FIGURA 20: terceiro movimento do Todo na criação.

O processo se repete respeitando o raio entre os círculos, até que o Todo consegue completar uma volta em todas as interseções formando o que chamamos de Semente da Vida ou o Padrão da Genesis (figura abaixo).

FIGURA 21: Semente da Vida.

Neste momento, vamos consultar o livro do Genesis na Bíblia e fazer uma breve análise. Cada movimento feito pelo Todo na criação desses círculos de expansão de consciencial pode ser interpretado como um dia da criação. No primeiro movimento, ou primeiro dia, o Segundo círculo foi criado. Como falamos anteriormente, esse movimento criou a matemática (2, 3 e 5), mas também criou a luz.

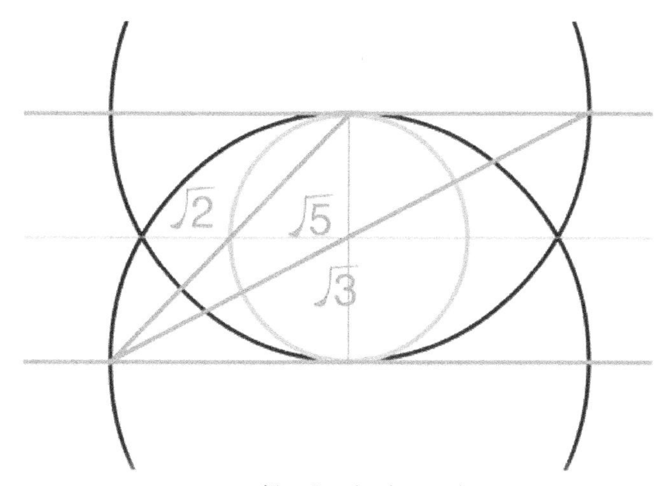

FIGURA 22: análise do primeiro movimento.

"Haja luz; e houve luz" (Genesis 1:3). E "Deus" cria a luz logo após movimentar-se sobre as "águas", ou seja, há um movimento do Todo e logo após a criação. No total são sete círculos: seis da criação e um do "descanso".

Uma outra imagem que vem da Flor da Vida é a chamada Árvore da Vida, também estudada na Cabala Judaica.

FIGURA 22: a Árvore da Vida dentro da Flor da Vida.

Essa imagem foi encontrada até no templo de Karnak em Luxor no Egito, datada de mais de cinco mil anos atrás, sendo a representação da conexão com a Natureza.

Outra imagem fundamental que vem da Flor da Vida é o chamado Ovo da Vida.

FIGURA 23: o Ovo da Vida

Essa imagem é fundamental para a criação de toda a vida. Na sua versão tridimensional. Podemos ver que dentro existe um cubo.

FIGURA 24: o Ovo da Vida e o cubo.

Esse exato formato do Ovo da Vida é o formato das oito células originais na fecundação de qualquer ser humano ou animal em nosso planeta, por exemplo. Um momento chave para o ser humano aonde a consciência que vem reencarnar se conecta com o corpo a ser formado por completo.

ALÉM DOS DEZENOVE CÍRCULOS

Toda a representação da Flor da Vida, em toda a história da humanidade terrestre, termina quando a multiplicação atinge dezenove círculos (e um maior é desenhado a sua volta), apesar desse padrão poder se repetir infinitamente. Isso se dá porque antigamente o conhecimento era para poucos e as "verdades" reveladas somente aos escolhidos. Essa é a razão do círculo externo que impede a continuação infinita da criação.

Os tempos mudaram.

Toda célula, como o óvulo, tem uma extremidade chamada de Zona Pelúcida, bem como a representação do círculo mais expresso em volta da Flor da Vida.

Ao remover essa Zona Pelúcida da Flor da Vida, continue expandindo seus círculos por toda a sua volta. Ao fechar todas as brechas em volta, formando mais uma camada de círculos, temos a revelação de mais uma forma geométrica fundamental.

FIGURA 25: o padrão dos 13 círculos.

Essa figura é chamada de Padrão dos 13 círculos (O Fruto da Vida) e é uma das mais importantes de toda a Geometria Sagrada. Repare também, que a Flor da Vida com os círculos expandidos da forma em que estão na criação do padrão, forma-se também o chamado Cubo de Metatron, que falaremos daqui a pouco.

Se pegarmos o Fruto da Vida e traçarmos uma linha reta saindo do centro de cada círculo em direção ao centro dos demais círculos, teremos a imagem abaixo, conhecida por todo o Universo: novamente, o Cubo de Metatron, agora com toda a sua geometria interna exposta.

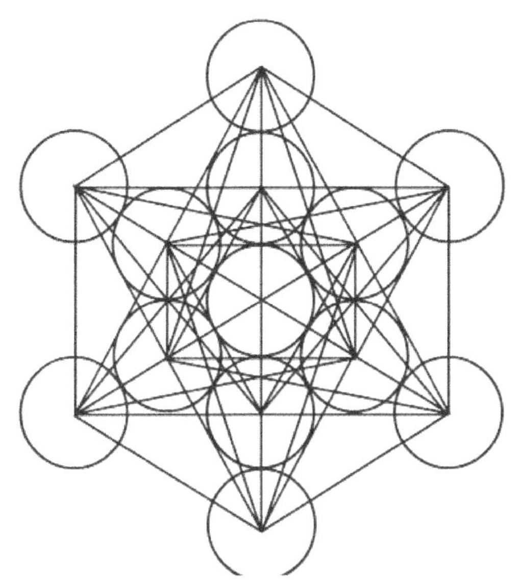

FIGURA 26: Cubo de Metatron.

O CUBO DE METATRON

Sem dúvida alguma, o Cubo de Metraton é um dos mais importantes sistemas de informação do Universo e um dos padrões geométricos da criação. Nele, temos toda a representatividade de todos os sólidos de Platão, as formas básicas da Geometria Sagrada e a origem verdadeira da Alquimia e Magia universal.

Todos os elementos da tabela periódica têm alguma relação com um dos formatos dos sólidos de Platão, conforme provado cientificamente pelo professor Robert Moon da Universidade de Chicago na década de 1980.

Em outras palavras, tudo o que existe vem dos sólidos de Platão, que vem do Cubo de Metatron, que vem do Fruto da Vida, que vem do Ovo da Vida, que vem da Semente da Vida, que vem da Flor da Vida, que vem do Todo, ou seja, TUDO vem do TODO. Tudo é um fractal do Todo.

Esse é somente UM dos treze segredos da Flor da Vida, profundamente estudado por Drunvalo Melchizedek e brilhantemente apresentado em seu livro *O segredo da Flor da Vida* volume 1 e 2.

A MATEMÁTICA DO TODO

Para entendermos a relação da Flor da Vida com a criação e o Todo, precisamos lembrar alguns conceitos matemáticos que vimos no *A Resposta Para Tudo*. O primeiro é o famoso Phi, ou proporção divina, que está presente em tudo e tem como número o 1.618... (ao infinito).

O Segundo é a famosa sequência de Fibonacci (1, 1, 2, 3, 5, 8, 13...) que dá origem à espiral, a qual foi posicionada no retângulo áureo. Tudo isso já sabemos.

Vamos adicionar agora mais uma sequência: a Binária. Você só precisa dobrar o número anterior para ter o próximo. Ex: 2, 4, 8, 16, 32... e assim por diante. Essa divisão binária também é achada no universo, como na meiose celular, ou seja, na divisão das células na formação de um corpo.

Agora vamos adicionar um outro conceito. Os tão falados "3, 6 e 9". Nikola Tesla, o nosso gênio que está sendo homenageado neste livro, disse que esses três números contêm a chave do Universo. Mas o que isso significa?

A Natureza segue um padrão matemático na sua criação. Podemos observar o sistema binário, a proporção áurea e a sequência de

Fibonacci em tudo no universo. Observando os padrões do eletromagnetismo, surgiu a matemática do Vortex.

Um cientista chamado Marko Rodin descobriu um padrão numérico que se repete. Esse padrão é: 1, 2, 4, 8, 7 e 5, se repetindo infinitamente. Observamos então que os números 3, 6 e 9 não estão presentes.

Isso acontece porque os números do padrão apresentado representam o plano físico, a nossa dimensão comum. Já os números 3, 6 e 9 representam um vetor de ligação entre a quarta e a quinta dimensão de espaço-tempo chamado "campo de fluxo", o qual é uma energia dimensional superior que influencia o circuito energético dos demais seis números.

Lembrando que se trata de questões científicas e não metafísicas. Cientistas desconfiam que essa é a chave para a energia livre, a qual Tesla trabalhou por quase toda a sua vida (ver último capítulo).

Para entender melhor, vamos pegar a sequência binária até o número 16. Chegando lá, não dobre mais o cálculo – ao alcançar duas casas decimais vamos somar os dois números. No caso então do número 16, seria 1 + 6 = 7. Agora, dobrando o número 7 temos 14. Somamos de novo: 1 + 4 = 5. Assim, o padrão que citamos vai se repetir infinitamente: 1, 2, 4, 8, 7 e 5. Repare que mesmo que você dobre o 16 e chegue em 32. A soma resulta em 3 + 2 = 5 novamente. Sempre sem 3, 6 e 9.

Agora vamos tentar o mesmo com os números 3, 6 e 9. Multiplicando 3 por 2 temos 6. Agora fazemos 6 x 2 = 12. Duas casas decimais, somamos 1 + 2 = 3. Será uma sequência infinita que sempre resultará em 3 ou 6. Mas e o número 9, você deve estar se perguntando?

Vamos dobrar o 9 e temos 18. Somando 1 + 8 = 9. Se dobrarmos o número18, temos 36, onde 3 + 6 = 9. Ele será um ciclo em torno dele mesmo infinitamente. Sendo assim, consideramos 9 como o número autossuficiente, acima dos demais.

O número 9 realmente é um número especial. Se analisarmos o grau das extremidades de formas geométricas, o encontraremos em todas elas. Um círculo tem 360 graus (3+6=9). Três partes de 60 graus (3+6=9) somam 180 graus (a metade, 1+8+0=9). A metade dele, o ângulo de 90 graus, soma-se 9+0=9 e assim por diante infinitamente.

Se somarmos todos os lados de um triangulo, teremos 180 graus. Do quadrado, 360 graus e por aí vai sem fim.

Uma outra forma de interpretar é dizer que num círculo de força temos o número 3 de um lado, como uma polaridade, o número 6 do outro como seu complemento e o número 9 no meio sendo o equilíbrio.

De acordo com Tesla, essa é a forma com que a eletricidade e o eletromagnetismo se movem no universo, formando o Torus ou a espiral.

ENERGIAS FEMININA E MASCULINA NO UNIVERSO

A famosa figura do Yin e Yang da filosofia ancestral chinesa talvez seja a maior representação dessas duas energias, que andam juntas no Universo. É o conceito também do dualismo, positivo / negativo, sempre complementarias, interconectadas. Não tem como definir uma sem a outra.

FIGURA 27: Yin Yang.

Chamando essa dualidade de feminina e masculina, temos a ação da energia masculina definida como a objetiva, focada, realizadora e cumpridora de objetivos sem distração; já a energia feminina é definida como a criativa, expansiva, de infinitas possibilidades, acessando o universo dentro de nós mesmos. Nenhuma delas é menos ou mais forte que a outra. Elas são igualmente potentes e poderosas quando manifestadas.

Tendo a sequência de Fibonacci fluindo através da espiral no retângulo áureo, temos excelentes exemplos de representações geométricas da atuação das duas energias.

Vindo do centro da figura, a energia masculina vem fluindo beirando a espiral de base em base, em linhas retas, contornando o retângulo e fazendo uma espiral "reta", sem se curvar, conforme figura abaixo.

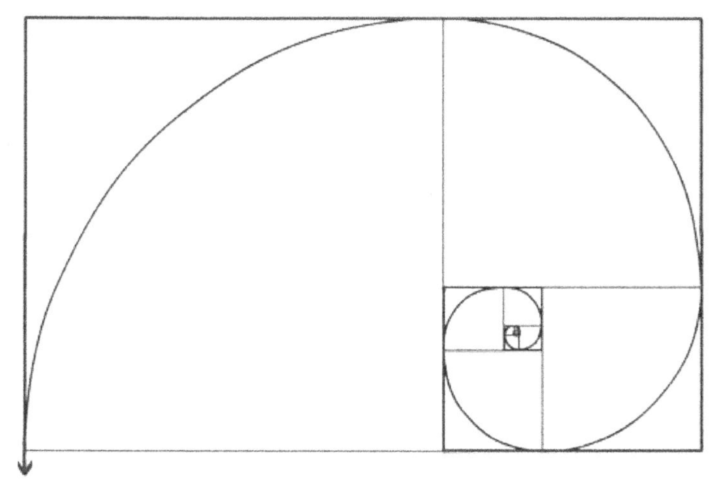

FIGURA 27: espiral na energia masculina.

Já a energia feminina é a que flui juntamente com a espiral, dançando de um lado para o outro no fluxo, mas chegando ao mesmo local e tendo os mesmos resultados.

Exemplo ilustrativo e prático de utilização dessas duas energias em nossa vida: a diferença entre cozinhar seguindo estritamente a receita passo a passo ou simplesmente seguindo sua intuição e colocando os ingredientes que quiser, seguindo o que lhe parece correto no momento.

Dessa maneira, conseguimos entender porque homens e mulheres em geral são tão diferentes. Apesar de termos sim que lutar pelos mesmos direitos perante a lei, temos também que entender que as energias universais atuam de forma distinta nos diferentes gêneros.

Todos nós possuímos um "desbalanceamento" natural nessas energias enquanto escolhemos um gênero para encarnar. Por isso, devemos parar de lutar contra essas energias e aprender a "surfar" nelas, se quisermos viver de uma forma equilibrada e harmoniosa.

A desarmonia das energias pode levar a catástrofes. A pessoa, independente do gênero, que busca a potencialização da energia masculina, provavelmente vai ficar muito fria, calculista e objetiva. O extremo dela pode levar uma pessoa a ser violenta e de cabeça fechada, sem estar aberta à opinião alheia ou a coisas novas.

Por outro lado, a polarização no feminino negativado, independente de gênero, pode levar a pessoa a ser extremamente desorganizada, fluindo num mar de emoções e diferentes estados de humor num pouco espaço de tempo.

A diferença básica entre os dois é que a energia masculina "reta" olha para as partes e a feminina "curva" tem a visão holística, do todo. Repare como isso, inclusive, é refletido até na constituição corporal dos gêneros. O corpo do homem com feições mais retas e o corpo da mulher com curvas.

Essas duas energias também estão ligadas aos dois hemisférios de nosso cérebro. O hemisfério esquerdo está conectado à energia masculina: pensamento lógico, matemático, analítico, estratégico, linear. O hemisfério direito, por outro lado, está ligado à energia feminina e manifesta a criatividade, a liberdade, a paixão, a sensualidade, o movimento, o colorido, o poeta.

O interessante é que cerca de 90% da população mundial possui o lado esquerdo do cérebro como dominante, ou seja, um desbalanceamento da energia masculina, independentemente do gênero ou escolha sexual. Isso não quer dizer que seja algo bom ou ruim, apenas que precisamos entender esse desbalanceamento e procurar o equilíbrio, usando o melhor que cada energia tem a nos oferecer.

O desbalanceamento da energia masculina é o que gera as guerras, essa loucura econômica em que vivemos a polarização de discursos e discussões quaisquer que sejam.

Uma das formas de descobrir qual o lado do seu cérebro que é dominante é observar se você é canhoto ou destro. O cérebro controla os movimentos de forma cruzada, portanto, o destro tem o lado esquerdo (masculino) do cérebro no controle e o canhoto tem o lado direito (feminino) do cérebro no comando. Se você é ambidestro, desculpe, precisamos de uma outra forma de confirmação.

Comece a pensar agora na história da humanidade, quantas crianças que nasceram canhotas e foram forçadas a escrever com a mão direita, porque canhoto era "coisa do Diabo". Entenderam agora? "Você, que nasce com essa energia feminina aí é uma ameaça, então, pode suprimi-la e desenvolver a masculina (negativada) aí que é o que queremos."

Viva os canhotos, como eu!

Calma, isso não quer dizer que quem é destro deve perder a esperança ou quem é canhoto seja equilibrado. Mais uma vez, temos que ter a consciência da busca no equilíbrio das duas energias, levando em consideração nosso gênero e nosso lado dominante do cérebro, entre outras coisas.

Agora quando falarem para você de "Sagrado Feminino" ou "Sagrado Masculino" você já pode desmistificar e começar a entender realmente como as coisas são.

GEOMETRIA E DIMENSÕES

Antony Garret Lisi é um físico teórico Americano que teve recentemente uma descoberta muito interessante ao analisar como os corais marinhos são formados.

Ele diz que cada pedaço do coral possui milhares de ramificações. Essas ramificações crescem e se dividem em cópias genéticas perfeitas. Através de um experimento com calor, ele pode verificar que cada cópia fazia parte de um todo, ou seja, é um fractal perfeito. Mas cada um tem a experiência da sua realidade de forma individual e diferente de seus vizinhos.

Através desse experimento, ele foi capaz de olhar para seu trabalho com Mecânica Quântica. A matemática dessa parte da física nos mostra exatamente como o universo subatômico funciona e, como no experimento do Coral, tudo em todas as realidades está apenas se estendendo em novas e infinitas possibilidades.

Nós humanos, estamos experienciando nesse momento somente uma dessas possibilidades - como uma ramificação do Coral.

O que a Física Quântica nos mostra é que tudo é Geometria Sagrada, inclusive as interações entre as partículas subatômicas - como as que servem para a formação dos Prótons, Elétrons e Nêutrons.

Como vimos no *Resposta*, nós sempre consideramos essas partículas como os Neutrinos, Fótons, Glúons, etc., como as menores possíveis, mas raramente pensamos em como elas são criadas.

Garrett nos mostra como a criação dessas partículas acontece. Quando colocadas num painel de interação uma com a outra, as partículas criam formas geométricas.

O fluxo energético forma um Hexágono - o mesmo padrão que achamos quando expandimos a Flor da Vida. Se você rotacionar essa forma em seis dimensões, ela forma a Estrela de David - ou dois Tetraedros interagindo (um virado para cima e outro para baixo). O que já vimos que também é o formato do Fóton, a partícula da luz, que também encaixa perfeitamente em cima do Fruto da Vida.

Todo esse padrão geométrico descrito acima é mapeado precisamente numa forma com duzentas esferas geométricas dimensionais a qual os cientistas chamam de E8, o qual também possui sua forma geométrica própria.

Através da rotação do E8, podemos ver as diversas formas de interação entre as partículas subatômicas, as quais compõem a nossa realidade. Prestando atenção, vocês vão achar todas as formas geométricas que discutimos aqui dentro dela, assim como Garret também as achou visualmente e por matemática.

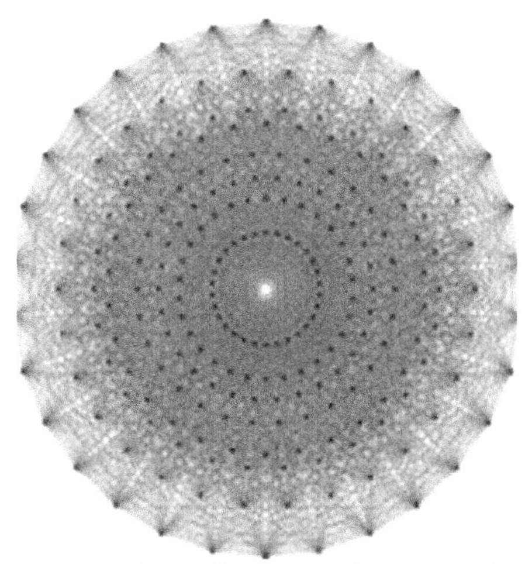

FIGURA 28: o E8 – interação entre partículas subatômicas em 200 dimensões. Fonte: Wikipédia.

A essa altura já devemos ter a noção de que tudo se origina da figura da Flor da Vida. Desde o nível mais básico da matéria - como vimos acima -, até o mais macro e complexo, como a criação de tudo, como vimos no começo deste capítulo.

Agora, vamos falar de dimensões. Para isso vamos voltar ao Egito antigo.

Em diversos templos no Egito, existem figuras desenhadas nas suas paredes - as quais sempre contam uma história - parecidas com uma roda e pessoas andando embaixo, talvez com algo na cabeça, e alguma subindo uma parede logo a sua frente (ver próxima figura).

Essas rodas são chamadas de "rodas Thewe" e esse povo é conhecido como "Neters" - também comentado por Drunvalo Melchizedek em seus livros.

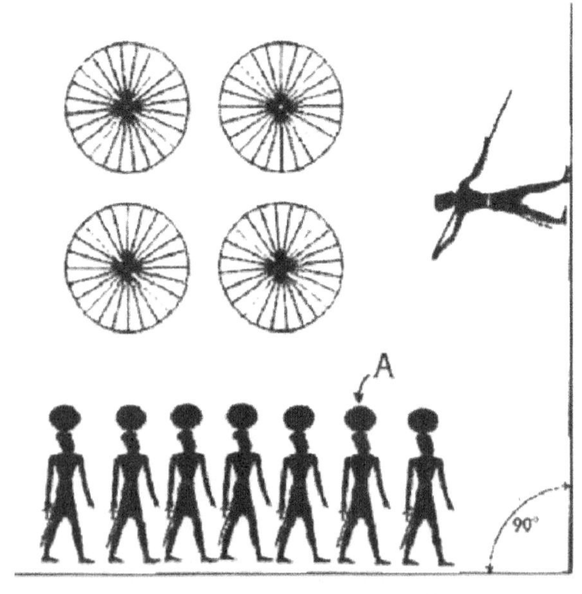

FIGURA 29: os Neters e sua roda. Fonte: Internet.

Reparem que os desenhos são na verdade uma representação de sete pessoas com cabeças de animais e cada um possui algo oval e laranja/avermelhado (na versão a cores) acima de suas cabeças. Esse algo oval é chamado de "ovo da metamorfose" (assinalado com a letra "A").

Eles nos mostram um tempo onde nós passamos por um estado de "ressurreição", o qual seria uma rápida mudança de seu estado biológico - não a ressurreição que conhecemos com o próprio corpo voltando à vida.

Repare que essa "ressurreição" ou mudança, os leva a um desvio de direção de 90 graus - como o desenho que está "subindo a parede". Isso representa uma transição de dimensão.

Conforme explica Drunvalo Melchizedek, cada nível dimensional é separado um do outro por 90 graus (olha o número 9 ai de novo), assim como as notas musicais como as notas musicais e os chacras também são e por aí vai. Esse número irá se repetir por várias vezes em várias situações.

Estamos aqui falando de dimensões conscienciais e não de espaço-tempo, é bom esclarecer. Para isso, como sempre desde o *Resposta* e do curso Despertar Galáctico 1, vamos usar a música como exemplo.

Como sabemos, um piano possui oito teclas brancas da nota Do a Do (C a C em cifra), o que se forma uma oitava. Entre algumas dessas teclas brancas existem as teclas negras as quais, quando todas juntas, formam a chamada escala cromática.

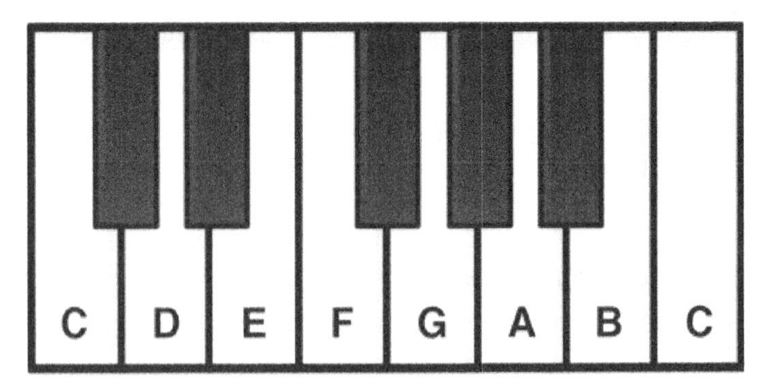

FIGURA 30: a escala cromática. Fonte: Internet.

Se somarmos todas as notas, temos doze no total, pois não contamos a Do (13ª) por já faz parte da sequência seguinte. Mas do degrau de uma oitava ate a outra, são 13 passos e não 12. Isso faz uma correlação direta com o próximo assunto, chacras, pois dizem que os mais importantes são 7, 8 e/ou 13 - e porque não os 13 filamentos de DNA Cósmico que já discutimos.

Para começar a entender o conceito de dimensões precisamos visualizar tudo como música, em forma de frequências de onda. As diferentes dimensões nada mais são do que bases diferentes de frequência dessas ondas, ou seja, comprimentos de onda como vimos no livro *A Resposta Para Tudo*.

Portanto, mudar de dimensão consciencial é como mudar a estação de rádio no seu carro. Precisamos somente calibrar nossas antenas e saber a frequência que queremos acessar. O mesmo princípio serve para acessarmos dimensões, inclusive fora do nosso universo. As possibilidades, teoricamente, são infinitas.

O mesmo se aplica a dimensões do espaço-tempo. Caso tivéssemos essa capacidade de mudança de frequência no campo físico, nós desapareceríamos dessa dimensão e reapareceríamos na sintonizada.

Foi teorizado que o comprimento de onda da nossa realidade de 4D de espaço tempo é de 7.23cm - curiosamente o mesmo comprimento de onda do mantra Hindu "OM", tido como o "som do universo".

Outra curiosidade sobre essa medida trazida por Drunvalo Melchizedek é que 7.23cm também é a medida entre os olhos de todo ser humano. A mesma medida do seu queixo ao seu nariz, a distância da palma à beira de suas mãos e a distância entre nossos chacras. Esses 7.23cm são localizados em vários aspectos da nossa vida e do nosso corpo porque estamos aqui, nessa dimensão, com o comprimento de onda específico, cumprindo a proporção áurea e seguindo o Phi.

Um fato interessante: a empresa *Bell Laboratórios* achou esse comprimento de onda enquanto estava inventando o aparelho de micro-ondas. Eles encontraram energia estática no sistema quando na sua criação, pois desenharam seu comprimento de onda um pouco acima de 7.23cm. Para se livrar disso, eles aumentaram a potência da máquina em cinquenta mil vezes o que criou um potente campo magnético para que o comprimento de onda de 7.35cm escolhido por eles não formasse mais estático.

Quanto mais alto vamos às dimensões, mais curto fica o comprimento de onda e com uma concentração maior de energia até chegar ao Todo - máxima vibração dos universos. O contrário também é verdadeiro, onde os comprimentos maiores de ondas geram menos energia e ficam mais densos.

Assim como as notas musicais num piano estão postas num local exato onde devem estar para emitirem uma frequência específica, o próximo nível dimensional também se encontra numa frequência de onda exata. Mas existe sim um espaço entre elas.

CHACRAS

Para entender o que realmente são os chacras, precisamos entender primeiro os conceitos básicos de luz e cores. Se você tem um feixe de luz puro direcionado a um prisma, a luz se dividirá num espectro de sete cores: vermelho, laranja, amarelo, verde, azul, índigo e violeta – assim como na formação do arco-íris. Cada cor dessas tem sua própria vibração, com comprimento de onda, mensurável em Hertz – como vimos no livro *A Resposta Para Tudo*.

Por exemplo: o vermelho tem o maior comprimento de onda e serve como estimulante para nosso cérebro, enquanto o violeta tem o menor comprimento de onda e tende a servir como relaxante em nossa percepção. Assim, cada cor nãoé nada mais que uma simples mudança na frequência de onda do espectro de luz (eletromagnético).

FIGURA 31: representação da localização dos 7 chacras principais. Fonte: Radiônicas Internacional.

Sabemos que é fundamental nos alimentar de luz solar para receber todas essas frequências, as quais estimulam funções corporais como a produção de vitamina D no organismo. Entretanto, não é só o nosso corpo físico que se alimenta de luz, mas também o energético e o espiritual através dos nossos Chacras.

A palavra Chacra vem do Sânscrito (chakra) que significa roda. Essa "roda" é na verdade um vortex girando em espiral de uma forma circular, formando um tipo de "vácuo" no centro, o que faz sugar energia vibracional – desde cores, micro-ondas, emoções das pessoas ou energias de ambientes, trabalhando com o nível de pensamento (novamente, frequência) cocriacional (ou seja, inconsciente) do individuo.

Em outras palavras, você atrai o que pensa. Lembre-se também do que falamos, em capítulos anteriores, do DNA e da absorção de energias de pessoas e ambientes.

Existem centenas – senão milhares – de chacras, ou pontos energéticos no corpo humano, de diversos tamanhos, forças e funções. Dependendo da sua fonte de pesquisa, você vai encontrar sete principais, oito ou treze. Esses são os mais comuns.

Os chacras não só atraem energia, mas também emitem. Eles são como se fossem o motor etérico dos seus corpos físicos e energéticos e estão muitas vezes ligados a uma parte específica de seu corpo ou possuem um órgão correspondente. Por isso, é fundamental manter todos os chacras funcionando perfeitamente, para termos saúde física, mental e espiritual. Um chacra que não funciona corretamente pode afetar fisicamente um ser e deixá-lo doente em seu órgão correspondente. Se não tratado, uma reação em cadeia pode acontecer com os outros chacras, levando todo o corpo a adoecer.

Um chacra desbalanceado pode ser por excesso de energia, falta dela ou até um bloqueio. Os primeiros sintomas, antes do adoecimento físico, podem ser sentidos emocionalmente, mentalmente ou até por um incômodo físico mesmo.

Para fins de nosso estudo nesse momento, vamos falar dos sete chacras principais básicos, começando de baixo para cima, do vermelho para o violeta, assim como o espectro de luz que falamos anteriormente. Afinal, somos seres de luz e essa é a maior prova disso.

- Primeiro – **chacra básico** (sobrevivência): de cor vermelha, esse ponto energético localiza-se na base da coluna (perto do cóccix) e está ligado à glândula suprarrenal (em cima dos rins). Ele basicamente nos conecta a questões "terra/terra" como a financeira, comida, independência.
- Segundo – **chacra sacro** (sexual): de cor laranja, é localizado na região dos órgãos sexuais e está ligado às gônadas (nos órgãos de reprodução). Ele está ligado à nossa energia sexual, de criação e na habilidade de aceitar coisas novas na vida.
- Terceiro – **chacra plexo solar** (ego): de cor amarela, é localizado na região do umbigo e está conectado ao pâncreas. Nessa região controlamos o ego, a força individual e tudo que temos que "digerir".
- Quarto – **chacra cardíaco** (amor): de cor verde, é localizado na região do coração, conectado ao Timo – glândula endócrinalinfática localizada acima do coração. Esse é o centro energético do amor e do perdão em geral – do sentimento.
- Quinto – **chacra laríngeo** (comunicação): de cor azul, é localizado no pescoço e está atrelado à glândula da Tireoide. Ele é responsável pela comunicação, expressão de ideias, verbalização e concretização de projetos.
- Sexto – **chacra frontal** (terceiro olho): de cor índigo, é localizado na parte frontal da cabeça entre os olhos e vinculado à glândula pituitária, ou hipófise (no centro do cérebro, abaixo da pineal). Esse

centro controla nosso raciocínio, nossa porção lógica, pensamento, aprendizagem, observação e intuição, além de regular a capacidade de clarividência do individuo.

- Sétimo – **chacra coronário** (espiritual): de cor violeta, é localizado no topo da cabeça e está ligado à glândula pineal, no centro do cérebro. Esse centro energético forma uma coroa de luz com aproximadamente 972 "pétalas" (9+7+2=18 onde 8+1=9) voltadas para cima. Através desse chacra temos a conexão com o mundo espiritual, com o EU superior e consequentemente com o Todo.

Pense, todas as vezes da sua vida, quando você estava tendo problemas com seu ego se não veio uma gastrite junto, ou então com dificuldades de expressão, se não teve algo na garganta ou desbalanceamento de hormônios na Tireoide. Os chacras refletem nossos problemas físicos e vice-versa. Alias, é mais fácil o físico expressar o desbalanceamento dos chacras do que o contrário. Mas acontece.

Veja que estudando os sete principais chacras e sabendo para eles que servem, suas cores correspondentes e quais órgãos estão ligados, não começamos nem a arranhar a superfície desse tema. Nosso intuito neste momento é de introduzi-los ao assunto e mais tarde fazer a ligação com os demais temas aqui estudados. Vamos para mais algumas informações práticas.

Sabemos que cada chacra tem sua vibração, frequência de onda e consequentemente, sua cor. Usar uma roupa com a cor correspondente de um chacra faz sim ele ressoar e potencializar. Aí temos algum fundamento da escolha de cores e roupas que usamos no dia a dia.

Também existem outras técnicas de energização de chacras por cores como a cromoterapia, ou até mesmo o fato de dormirmos com uma lâmpada de uma cor específica ligada em nosso quarto. Além disso, consumir comidas com as cores dos chacras também ajuda. Nãoesqueçade que as cores são frequências. Não se trata de superstição, mas sim, de ciência. Acessar o objeto que traz ou emite aquela frequência específica. Por isso, também a importância de ter uma alimentação saudável e colorida.

Mas nada consegue ser mais poderoso do que deixar para tomar sol no corpo todo por meia hora diariamente. A luz solar possui diversas frequências de onda, não somente as que estamos falando, mas nesse caso ela consegue trabalhar todos os chacras ao mesmo tempo. Importante mencionar para não se utilizar protetor solar nesses trinta minutos.

Você pode fazer banhos com sais corantes, ter essa abertura através de terapias como o Reiki, acupuntura e outras famosas por aí.

A PROPORÇÃO GEOMÉTRICA CONSCIENCIAL

Geometria Sagrada é, fundamentalmente, a geometria da consciência. Lembrem-se como lá no começo analisamos o Fruto da Vida e vimos que dele saem os Sólidos de Platão e como tudo que é material provêm dele. Depois, vimos como a partir do E8 temos as dimensões. Agora, vamos ver o terceiro sistema de informação chamado "Os círculos e os quadrados da consciência humana". Os chineses o chamam de "circulando o quadrado" e "enquadrando o círculo".

Voltando aos sólidos de Platão, devemos lembrar que podemos colocar um círculo perfeito e do mesmo tamanho em volta de todos eles. Existe uma outra forma perfeita que também se encaixa sem exceção: o cubo.

Se pudermos moldar o cubo em vários formatos, podemos criar qualquer um dos outros sólidos, sem problema. Por isso, o cubo é conhecido como o "pai" de todas as demais formas e a esfera, como uma geometria feminina, a "mãe".

Agora vamos analisar essas duas formas juntas e pensar em diferentes níveis de consciência. Veja bem, não necessariamente dimensões, mas sim, níveis conscienciais. Vamos pensar em 2D que fica mais fácil.

Coloque um círculo dentro de um quadrado. Você terá um desenho com duas geometrias. Agora, faça um outro desenho igual, só que maior em tamanho para que coloquemos o círculo em volta do quadrado do primeiro exemplo. Façamos isso nove vezes (com potencialidade infinita) e vamos ter algo parecido com o desenho abaixo.

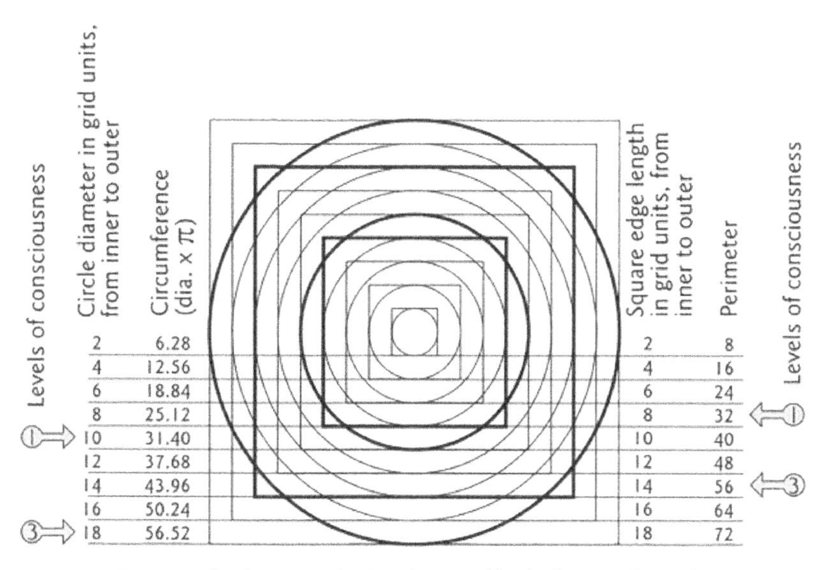

FIGURA 32: círculos e quadrados da consciência. Fonte: o Segredo da Flor da Vida Vol. 2 – figura 9-1, Drunvalo Melchizedek.

Imagine que cada nível desse desenho, representado por um quadrado e um círculo, seja um nível consciencial distinto. Fazendo a relação entre o perímetro do quadrado e o raio do círculo, temos um número. Nos desenhos em negrito, esse número é extremamente próximo a Phi.

Repare como a partir do quarto desenho, o círculo começa a passar por cima do quadrado, tendo como entendimento, segundo Drunvalo Melchizedek através de Thoth, como a inteiração perfeita entre o masculino e o feminino, nessa representação de 9 níveis conscienciais.

Quanto mais desenhamos essa figura acima dos 9 níveis apresentados, mais próximos de Phi chegaram, ou seja, mais próximos da perfeição na expansão eterna consciencial.

Vamos separar esses níveis de consciências agora em três: o primeiro, interno em negrito, seria um nível em que a humanidade já passou. Talvez, na época de Leonardo da Vinci quando do desenho do Homem Vitruviano e a proporção áurea aplicada.

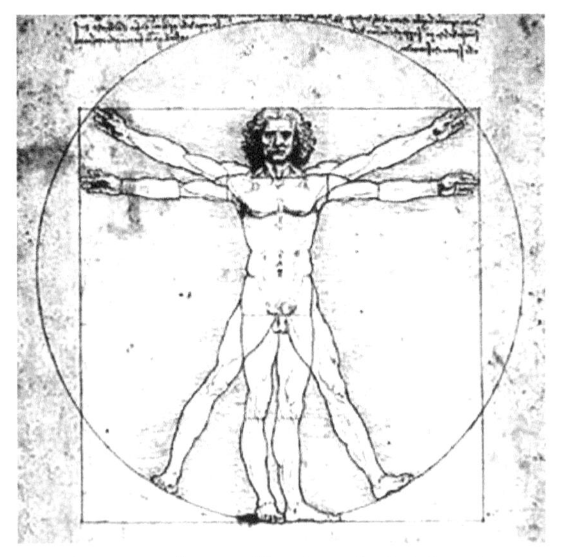

FIGURA 33: o homem Vitruviano. Fonte: internet.

A humanidade atual estaria num segundo estágio entre o 4° (primeiro negrito) e o 7° círculo (segundo negrito). Esse último representaria a consciência Crística. Portanto, estaríamos agora entre o 5° ou o 6° círculo, em desarmonia com o Phi - número / frequência universal.

O mais interessante é que podemos colocar perfeitamente o desenho do Fruto da Vida dentro do 4° quadrado / 5° círculo (primeiro negrito). Isso explica geometricamente como a primeira consciência humana tomou forma nesse universo.

Uma outra curiosidade é que temos essa mesma forma se pegarmos a pirâmide de Quéops, em Giza, no Egito, e fazermos um corte na transversal, na altura da câmara do rei. Com uma vista de cima, em 2D e uma rotação no quadrado do meio de 45 graus, teremos a mesma figura estudada onde podemos encaixar o Fruto da Vida. Também, por isso, é dito que as pirâmides são a chave para o Despertar da Consciência.

Capítulo 5

GRAVIDADE

"O que estou tentando provar é revolucionário e quase inacessível. É o que deve ser feito no Universo para que cada ser nasça como Cristo, Buda ou Zaratustra. Sei que a gravidade é adversa a tudo o que tenho para voar e minha intenção não é fabricar dispositivos de voo (aeronaves ou mísseis), mas ensinar o indivíduo a recuperar a consciência por suas próprias asas... também estou tentando despertar a energia contida no ar. Existem grandes fontes de energia. O que é considerado espaço vazio é apenas uma manifestação da matéria que não está acordada. Não há espaço vazio neste planeta, nem no Universo... Os buracos negros, dos quais os astrônomos falam, são as fontes mais poderosas de energia e vida."

Nikola Tesla

Para entender a ação da 4ª Força da Natureza (além de Força Fraca, Força Forte e Força Eletromagnética), precisamos voltar ao início dos tempos, no momento da expansão inicial do Fóton primordial.

Imaginem a expansão inicial no modelo do *Big Bang*. O universo partindo de um Fóton primordial se expande, ocorre a bariogenese (onde matéria e antimatéria se anulam e liberam energia ao se encontrarem), a temperatura está altíssima e a matéria está praticamente em sua composição plasmática subatômica.

O tempo passa, o universo vai se expandindo, a temperatura vai baixando, a matéria vai se condensando e "solidificando" e ocorre a criação das partículas, logo após os átomos, depois as moléculas e assim por diante até termos todos os elementos químicos para a formação do universo.

Num dado momento, temos a chamada "poeira cósmica" - a matéria prima para a formação das estrelas, planetas e tudo o que conhecemos. Imaginem um universo em expansão, no formato circular com a Fonte do Fóton primordial no centro, onde ocorreu a expansão inicial. Toda essa poeira orbita esse centro de tudo que originou essa nova realidade.

Imagine que essa "poeira" tem uma carga e vamos chamá-la de negativa, para fim de entendimento. No centro, onde uma vez encontrava-se o Fóton primordial, temos uma fonte de luz (Fóton), a qual emite energia como se fosse um Quasar.

Quasares são objetos astronômicos poderosamente energéticos. Eles possuem um núcleo galáctico ativo, centro gravitacional. São maiores que uma estrela, mas menores que uma galáxia os quais – como maiores emissores de energia no Universo (um único Quasar emite entre 100 e 1000 vezes mais luz que uma galáxia inteira) – emitem energia eletromagnética em forma de ondas de rádio e luz visível basicamente (com alto desvio para o vermelho).

FIGURA 34: representação gráfica de um Quasar. Crédito: NASA-JPL.

Esse "Quasar primordial", assim como seu "irmão" do universo atual, emite energia pulsante. Esse feixe de luz é jogado por todo esse universo primordial, atingindo algumas "poeiras". Algumas das que são atingidas, têm sua polaridade eletromagnética invertida e passam a ser "poeiras" de carga positiva.

Essa mudança causada pela energia eletromagnética desse "Quasar primordial" faz com que as "poeiras" de energia negativa sejam atraídas pelas "poeiras" de carga positiva. Esse aglomerado de "poeiras" que começa a se formar é o começo da formação de todas as estrelas e todos os planetas e demais estruturas sólidas do Universo que conhecemos.

Conforme as "poeiras" que antes estavam em expansão começam a mudar sua direção no espaço-tempo para seguir em direção as "poeiras" de carga inversa através da atração eletromagnética, elas passam a exercer uma força contraria na tela do espaço-tempo para poderem se juntar.

A essa força chamamos de Gravidade.

Em outras palavras, o "puxar" dessa poeira cósmica pela força eletromagnética das cargas se atraindo, forma essa energia que na verdade não é de atração, e sim, de deformação do espaço-tempo. Quando estamos de pé no planeta Terra, não estamos sendo atraídos para o centro do planeta, mas sim, estamos sendo empurrados de cima para baixo.

Eu explico.

A tensão gerada nessa deformação no espaço-tempo que a massa de um corpo provoca – entendendo como massa a quantidade de "poeira cósmica" contida no objeto, gera uma inteiração entre a malha do espaço-tempo e o corpo que gera a gravidade.

Essa inteiração, ou força que empurra o corpo com menos massa em direção ao corpo com maior massa, é dada através de filamentos energéticos subatômicos em forma de espiral (Grávitons). Esses filamentos começam na primeira tensão da malha do espaço-tempo, seguindo na direção do núcleo ou centro gravitacional do corpo em questão.

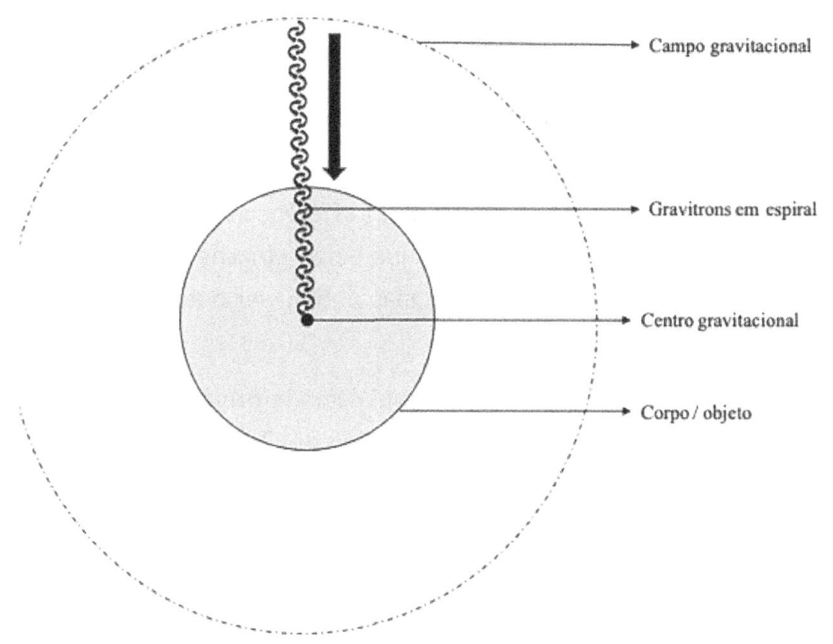

FIGURA 35: a Força da Gravidade e sua inteiração com os objetos.

Todo corpo que possui massa, qualquer que seja, gera um campo gravitacional a sua volta proporcional a quantidade de massa que possui – ou na relevância da distorção gerada na malha do espaço-tempo. Quanto mais massa, maior a distorção, maior o "empuxo", portanto, maior a Força Gravitacional.

Chamamos aqui de Gráviton a partícula que se move em espiral (Geometria Sagrada) que interage com as forças na gravidade. A ciência define o Gráviton como uma partícula hipotética elementar que faz a mediação com a força da Gravidade. Sua comprovação ainda não foi anunciada, pois há uma discussão num cálculo matemático dentro da Teoria da Relatividade Geral.

A gravidade também não é uma força uniforme no objeto. Em nosso planeta, por exemplo, temos diferentes leituras da força gravitacional em locais distintos da Terra. Na região equatorial, a Força

Gravitacional é maior do que em outros pontos do planeta, por estar mais próxima ao centro gravitacional (núcleo terrestre). O inverso também é verdadeiro.

Além disso, outros fatores contribuem para a aceleração ou desaceleração do *spin* do Gráviton como interferências eletromagnéticas do próprio campo terrestre. Claro que essas variações são pequenas e imperceptíveis a nós humanos, mas podem ser detectadas com a ajuda de aparelhos especiais.

Nãoé somente o Fabio que possui essas informações sobre essa "misteriosa" força da Natureza. Estudos de David Wilcock, Corey Goode e Nassim Haramein, por exemplo, falam a mesma coisa.

A GRAVIDADE E O TEMPO

Já estudamos, no livro *A Resposta Para Tudo* e no curso Despertar Galáctico 1, sobre a Teoria da Relatividade Geral de Einstein. Essa teoria diz que o tempo e o espaço são uma coisa só, por isso o chamamos de espaço-tempo e que quando viajamos no espaço, estamos também viajando no tempo.

Um outro fator que mencionamos para a variação do tempo é a forca da gravidade. O maior exemplo disso é um buraco negro, assim como retratado no filme Interestelar (2014), quando o tempo passava infinitamente mais lento para quem estava mais perto do objeto (maior forca gravitacional) do que quem estava numa distância maior.

Sabemos que a quantidade de massa de um corpo altera a Força Gravitacional desse objeto (mais massa, mais força). Sabemos também que os Grávitons se movem em espirais, portanto, quanto mais massa, mais Força Gravitacional, mais velocidade. Os Grávitons se movem desde a tensão na tela do espaço-tempo até o centro gravitacional do corpo.

Essa variação no *spin* (ou giro), na espiral do Gráviton, cria uma frequência de onda (ondas gravitacionais) que varia de um corpo para o outro (de acordo com sua massa / Força Gravitacional).

Em outras palavras, cada planeta possui uma Força Gravitacional diferente, ou seja, uma velocidade diferente de *spin* dos Grávitons, portanto, uma frequência gravitacional única daquele corpo. Essa frequência gravitacional é a principal responsável pela percepção de tempo dos habitantes ou visitantes daquele objeto/planeta. É exatamente essa a razão de termos diferentes planetas com diferentes forças gravitacionais e diferentes percepções de tempo. Quanto mais gravidade, mais *spin* dos Grávitons, mais "lento o tempo passa".

As ondas gravitacionais - previstas em 1916 por Albert Einstein e detectadas pela primeira vez pelo homem em 2015 - são ondulações na curvatura do espaço-tempo, provocadas pela massa do objeto e o *spin* dos Grávitons, propagando-se pelo universo como ondas na velocidade da luz (aproximadamente 300,000 km/s). Ao interagir com os demais corpos, podem "espremer" ou "esticar" a malha do espaço-tempo do objeto a qual interage.

Para efeito de nossos estudos, nesse momento não é necessário ir mais a fundo no conceito de gravidade, onda gravitacional e dos Grávitons. O importante é entendermos como a gravidade atua nos corpos e como ela influencia o espaço-tempo.

O CENTRO GRAVITACIONAL DOS UNIVERSOS

Segundo o Livro de Urantia, a força da gravidade de todos os universos materiais converge para o centro gravitacional dos universos, no qual ele chama de "Paraíso" - aquele local da expansão do Fóton primordial e fonte do "Quasar" da criação.

Esse local convergiria todas as forças gravitacionais de todos os universos (conjunto dos sete Superuniversos conhecidos), localizado no Universo original e primeiro chamado Havona (o nosso seria o Orvoton, o sétimo e o nosso local, Nebadon - como já estudado no primeiro capítulo). Esse local seria tão peculiar que possui cerca de mil elementos químicos (o homem conhece cerca de 130 apenas), com sete Forças da Natureza atuantes (versus quatro ou cinco na Terra conhecidas) e seus habitantes tendo quarenta e nove sentidos de percepção (os humanos possuem apenas cinco).

O interessante é que esse mesmo livro diz que apesar desse local abrigar e concentrar toda a Força Gravitacional de todos os sete Superuniversos, e de ser extremamente denso, massivo e com uma Força Gravitacional inimaginável (onde provavelmente a percepção de tempo seja inexistente), ele possui apenas cinco por cento da energia total gravitacional existente.

Sim, eu também me perguntei onde estariam localizados os outros 95%. A resposta que o livro nos dá é "fora do espaço-tempo dos sete Superuniversos, uma área ainda desconhecida".

Essa informação nos faz pensar muito. Revela que existe muito mais do que somente os sete Superuniversos já revelados por diversas fontes - e seus desdobramentos dimensionais (horizontais e verticais). Revela também que a Força Gravitacional total é muito maior do que podemos imaginar.

A minha reflexão é que a Força Gravitacional é a maior prova da atuação da Fonte na matéria. Ela permeia tudo e todos em todos os universos. É a consequência da "causa primaria de todas as coisas", citadas no *Livro dos Espíritos* de Allan Kardec. Assim, a gravidade seria a ação concreta da Fonte na matéria. E representa somente 5% dela em todos os Superuniversos.

TECNOLOGIA DE VIAGEM NO TEMPO E PORTAIS

Sabemos que todas as vezes que estamos nos deslocando no espaço, estamos nos deslocando no tempo também. Mas para ter um deslocamento no tempo, que seja significativo o bastante para percebermos uma real viagem, seguindo as leis que conhecemos no nosso mundo material, teríamos que viajar muito próximos da velocidade da luz – o que a ciência diz ser praticamente impossível.

Não gostaria de discutir isso neste momento, mas sim, falar sobre a tecnologia de viagem temporal que é utilizada no Universo por diversas raças, baseada na teoria do Buraco de Minhoca (*wormhole* em inglês). Essa tecnologia seria o "atalho" na malha do espaço-tempo onde viajaríamos instantaneamente de um ponto ao outro.

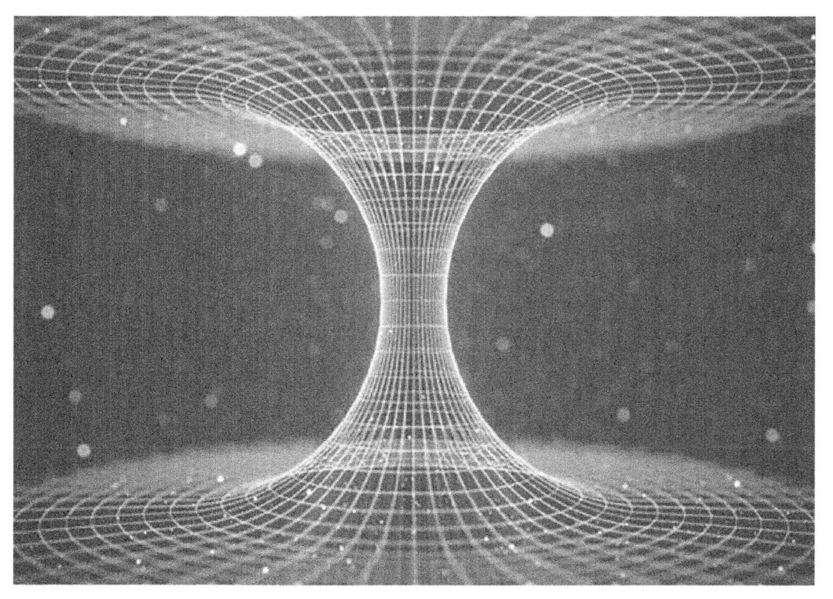

FIGURA 36: representação gráfica de um Buraco de Minhoca. Fonte: Scientific American.

A tecnologia usada se baseia em duas coisas básicas: a força da gravidade e a teia cósmica. A primeira, já sabemos como funciona sendo assim, vou explicar um pouco da segunda para depois entendermos as duas juntas.

A Teia Cósmica (*Cosmic Web* em inglês) é uma malha atemporal e não dimensional que permeia o menor nível subatômico de todos os Superuniversos. Como comparativo e analogia, seria como a corda da Teoria das Cordas, ou então o espaço em que as naves da serie Star Trek Discovery (CBS, 2017) viajam – uma dimensão, não dimensão (dimensão zero). Teve até um episódio em que eles ficam presos por lá. É uma boa forma de visualização.

Uma das formas de atingir essa Teia Cósmica é usando a Força Gravitacional. Segundo Dr. Michael Salla, um dos maiores especialistas em exopolítica no mundo, Podemos alcançar a Teia Cósmica através da abertura de um portal. Esse portal pode ser aberto utilizando a Força Gravitacional e o centro gravitacional de um átomo – já que toda matéria (massa) tem Força Gravitacional, não importa o seu tamanho.

Uma forma mais fácil de entender seria construir algo que fizesse o extremo oposto de uma bomba atômica. Ao invés de fazer o átomo "explodir" através do corte da Força Nuclear que liga os Prótons e os Nêutrons no núcleo do átomo, faríamos esse átomo "implodir", concentrando uma maior quantidade de Força Gravitacional em seu campo, fazendo com que ele todo seja "sugado" para o seu centro gravitacional até o ponto de se tornar denso o suficiente para abrir algo similar a um "mini buraco negro" – ou um portal que tem como meio a seu destino, a Teia Cósmica.

Se esse portal for grande o suficiente (com um maior número de átomos, por exemplo) pode-se passar uma pessoa, um carro ou uma nave.

Dentro dessa teia, podemos nos "movimentar" no tempo-espaço da forma como bem entendermos (com conhecimento e tecnologia) e atingir nosso destino quase que instantaneamente, tendo um portal de saída sendo criado basicamente da mesma forma que foi de entrada.

Falar sobre tecnologia de manipulação gravitacional nãoé novidade. No meu Segundo livro *Intervenção Planetária* (maio de 2019) publiquei uma patente oficial da Força Aérea Americana de uma aeronave triangular que voa com tecnologia antigravitacional, ou seja, levita e transita na água, terra e no espaço. Estou utilizando o tempo presente, pois a própria Força Aérea confessou que a nave está em operação e não se trata de um projeto ou ideia. Foi executada, testada e funciona.

O nosso Governo Secreto possui tecnologia de manipulação da gravidade há mais de cem anos. O Quarto Reich foi o primeiro a receber tal informação e até o Terceiro Reich, com Hitler na segunda Guerra, construiu o Famoso "sino" (Die Glocke) que tinha essa tecnologia como base.

Acredita-se que o Die Glocke foi projetado para atuar na malha do espaço-tempo, manipulando energia gravitacional para servir como uma espécie de máquina do tempo. Algo parecido com o retratado na série da Amazon Prime chamada "The Man in the high Castle" (2015), onde temos um mundo em que a Alemanha vence a segunda Guerra e mais tarde é descoberto um portal temporal no qual o Terceiro Reich se aproveita para conquistar também outras dimensões. É a ficção imitando a realidade ou vice-versa.

FIGURA 37: representação gráfica do Die Glocke. Crédito: Internet.

Essa "viagem no tempo" e abertura de "portais" então se daria através da manipulação da energia do centro gravitacional de um átomo. Se tudo e todos são feitos de átomos, Dr. Michael Salla acrescenta que todos nós somos criadores de portais em potencial.

Todos nós podemos acessar a Teia Cósmica e estamos constantemente conectados a ela através do centro gravitacional de nossos átomos. O que precisamos aprender é a ter a disciplina cocriativa mental para acessar essas informações e criar o portal que precisamos.

CONSTANTE DE PLANCK

Max Planck, um físico alemão antecessor de Einstein, considerado o pai da física quântica e um dos cientistas mais importantes do século XX. Teve seu nome dado a uma constante representada por uma equação que serve – dentre outras coisas – para determinar a energia de um Fóton (partícula da luz).

Essa equação que possui a constante de Planck é usada na equação de Schrodinger e também na equação de Dirac, por exemplo. A equação é E = h. v, onde E é a energia do Fóton, h é a constante de Planck - considerada hoje em dia uma das constantes no universo - e v é a frequência da radiação.

O que Planck fez, foi fazer uma relação matemática entre a energia das menores grandezas físicas que possam existir no nível subatômico, com a frequência da radiação, ou seja, a quantidade de energia que se transfere de um ponto a outro (radiação) num determinado espaço de tempo (frequência).

Todas essas referencias são muito pequenas. São tão pequenas, que podem ser percebidas por nós como contínuas. Um bom exemplo disso é a luz, que na verdade é uma onda eletromagnética formada por um conjunto de Fótons em movimento. Outro exemplo é a nossa matéria, que na verdade, é um conjunto de átomos e seus componentes.

Albert Einstein, em 1905, começou a aplicar as teorias de Max Planck em seu trabalho, analisando experimentos no campo do efeito fotoelétrico. Trata-se de emissão de luz em seus diversos espectros em superfícies metálicas, que resultam na liberação de elétrons - como se os Fótons "arrancassem" elétrons desses metais.

O experimento ainda observou que o aumento da intensidade da luz não fazia com que mais elétrons fossem "arrancados", mas alterava o comprimento de onda que, também, alterava os elétrons. Ou seja, a luz nos seus diferentes espectros eletromagnéticos - representados pelas cores que podemos ver - tinha efeitos distintos nos elétrons.

A luz azul fazia com que os elétrons fossem "arrancados" com mais intensidade do que com a cor amarela. Já a cor vermelha não conseguia "arrancar" elétrons de alguns metais.

A física clássica não conseguia uma resposta para esse evento.

Foi então que Einstein, através dos estudos de Planck que diz que a radiação assume forma de pacotes de energia, disse que essa energia era gasta para "arrancar" os elétrons e que a alta frequência deveria "arrancar" mais elétrons que a baixa frequência. Em outras palavras, quanto maior a frequência da cor (espectro da luz), mais chance de "arrancar" elétrons.

Por isso que o vermelho tinha dificuldades, pois sua frequência não era suficientemente forte para isso. Já a luz violeta expulsa os elétrons em baixa velocidade, o contrário da ultravioleta - com alta velocidade e os Raios X mais rápidos ainda.

Essa descoberta - e não a Teoria da Relatividade - deu a Einstein seu prêmio Nobel de Física em 1921.

Você deve estar se perguntando o porquê de eu estar contando essa história e passando essa informação aparentemente sem aplicação prática em nosso dia a dia.

Pois bem.

Esse é o primeiro passo científico da história da humanidade para comprovar os efeitos reais que tem, por exemplo, a cromoterapia, tipo tratamento que utiliza as diferentes cores do espectro eletromagnético da luz para o equilíbrio e a harmonia do nosso corpo.

Além disso, começa também a explicar o uso das cores e dos "raios" que tanto falamos nas diversas terapias e sua ação em níveis subatômicos, não somente no corpo físico, mas também no corpo astral. Já não ouvimos falar que o raio violeta "limpa" Então, tem uma explicação cientifica, racional, com um pé na ciência tradicional, dentro dos efeitos do eletromagnetismo.

Lembremos sempre que tudo é luz e que o universo nasceu do Fóton primordial, como explicado no meu livro *Resposta*. Fóton é luz. Luz é uma onda eletromagnética com um espectro de frequência de onda e estamos interagindo com ele o tempo todo. A todo momento. Precisamos estudar para entender como essa relação nos afeta e como podemos nos beneficiar dela.

Capítulo 6

OS DIRETORES DA PRISÃO

"Um homem deve ser sensível aos pássaros. Isso é por causa de suas asas. O ser humano já os teve reais e visíveis!"

Nikola Tesla

A politicagem no universo estava a todo vapor. Diversas federações no nosso universo local trabalhavam para obedecer a nova diretriz dada pelo "gerente geral", cargo que tem por nomenclatura "Lúcifer". Sim, não se trata de um nome pessoal, mas de um cargo. E o Lúcifer da época tinha dado uma ordem de por fim às sociedades por castas, a qual impedia o progresso das consciências, reencarnando indefinidamente no mesmo nível. Isso também valia para as almas armazenadas no "Super Serafim" que vinham do lado da Aliança humana - os clones descritos anteriormente no fim da Guerra de Orion.

Isso provocou a superpopulação de mundos existentes, assim como a habilitação de outros para dar vazão à quantidade de almas detidas a reencarnar. Nada havia dito Lúcifer desde a expedição do mandato, mas a federação sabia que todos esses processos postos em marcha estavam sendo auditados de alguma maneira por entidades dos planos ascendidos pertencentes ao Conselho da Luz Divina, o qual presidia.

Inclusive, se havia detectado indivíduos de energia sutil derivados de um grupo de Arcontes nesse setor da galáxia que estariam monitorando esses mundos, com o objetivo de infiltrar-se em alguns deles e fazer reinar o caos, que é do que se nutrem essas entidades.

O desenvolvimento do projeto adâmico terrestre seguia seu curso. Equipes de cerca de vinte raças matrizes haviam doado seus DNA e a federação de Sirius havia chegado a um acordo para que os Annunaki desenvolvessem o projeto. Em troca os Annunaki implantariam também sua genética na nova raça adâmica terrestre.

Estavam literalmente surpresos com o sucesso e o resultado dos experimentos da nova raça. As equipes Annunaki começaram a detectar tribos ou de repente alguns povoados estavam num estranho silêncio e só se ouvia o choro dos recém-nascidos. Isso perturbou as equipes, até que perceberam que os membros das comunidades estavam se entreolhando e gesticulando alguma coisa, então viram que mesmo com uma tecnologia muito rudimentar haviam desenvolvido a telepatia. Eram povoados basicamente agrícolas e outros nômades.

Também se deram conta que por falta de diligência das equipes supervisoras de Caligastia (o então "gerente planetário"), havia aparecido em pouquíssimo tempo a figura dos mestres, que eram seres de evolução espiritual muito adiantados, que em contato com os elementais da natureza ensinavam as propriedades curativas das plantas, assim como ensinavam como aproveitar as energias da mãe Terra. Esse é o início do Xamanismo terrestre.

A decisão de cortar o processo formador desta raça se fez de maneira mancomunada entre Enlil (Annunaki), Satã (político galáctico) e o próprio Caligastia (gerente planetário). Todos estavam atônitos ante os progressos dessa raça num estágio ainda tão incipiente de desenvolvimento.

A dúvida comum era qual seria o limite dessa raça, até onde poderiam chegar e em que posição poderiam se consolidar. Temiam o que essa raça formidável pudesse se tornar em médio prazo. Seu orgulho não poderia tolerar tal ameaça e decidiram cortar a assistência dos mestres ascensos.

Equipes infiltradas informaram esta decisão ao conselho local e grande foi a preocupação siriana já que era visto que seu projeto adâmico terrestre escapava de seu controle. A federação tentou contato com os três, mas recebeu a resposta de que eles eram os soberanos do projeto.

Grupos encabeçados por seus druidas xamãs terrestres construíram edificações onde as pedras se moviam e moldavam por si. Também criavam o fogo com uma simples ordem mental. Haviam descoberto seu tremendo potencial criativo, o poder de criar com o verbo e a mente e haviam conectado com os quatro elementos da natureza, da mãe Terra, terra, fogo, água e ar e esses obedeciam a sua vontade.

Além do mais, grupos de mestres davam demonstrações das capacidades multidimensionais dessas hierarquias de Elfos, evoluindo um após o outro na quinta dimensão. Isso já foi muito para Enlil, Satã e Caligastia, sendo que foi o próprio Caligastia que resolveu tomar a primeira ação ofensiva contra essa raça.

Decidiram que o próximo grupo de almas a reencarnar seria de maldequianos e outros grupos mais densos de almas, cujos corpos haviam perecido num mundo de guerras.

Um pouco antes disso, a federação siriana decidiu cancelar o seu projeto adâmico na superfície em parceria com os Annunaki e começar uma investida ao mundo intraterreno da sexta dimensão de espaço-tempo, no maior número de espécimes possíveis.

Essa operação de resgate comandada pelas três federações e com o apoio das equipes de outras federações, como andromedana e acturiana, foi tomada pelos Annunaki e as hóstias de Satã como uma provocação e uma ingerência. Os Annunaki e Satã postulavam que o projeto adâmico terrestre era também deles já que haviam enxertado seus próprios genes.

A federação siriana respondeu recordando que o projeto não era deles e o que havia era que os Annunaki concordaram em emprestar apoio logístico para implementá-lo e que além do mais, ninguém havia pedido os seus genes e que eles os haviam inserido voluntariamente. Relembrava-se também que em última instância uma raça não era propriedade de absolutamente ninguém.

No conselho siriano se levantaram vozes indicando que por trás dessa mudança de atitude de Caligastia estava a energia dos Arcontes. Inclusive, suspeita-se de que a manipulação Arconte já acontecia bem antes, desde o começo do projeto em todos os cabeças envolvidos. Com muita paciência e calma, como costumam agir.

FIGURA 38: registro Sumério dos "Annunaki". Fonte: Internet.

Assim, a estratégia era a seguinte: Iriam encarnar almas cada vez mais densas para assim por sua vez baixar a faixa vibracional do planeta a tal ponto que o resto dos Arcontes pudesse ultrapassar a barreira de frequência e semear o caos.

Com o passar do tempo todos os que tinham o poder para desenvolver a nova raça – os Annunaki, Satã, Caligastia, foram sendo corrompidos psiquicamente durante milênios até a sua negativação. Os Arcontes, autênticos mestres da manipulação mental, projetam o medo e o sentimento de pequeneza na nova raça, e o fruto de sua própria criação fez o resto. Na violência psicológica e na luta do poder pelo poder, produzindo inclusive a própria ruptura dos Annunaki em facções.

Enki (Annunaki geneticista) então retira as capacidades extras físicas superlativas que tinham os Elfos e fez com que formassem um ser mais básico em todas as áreas, além de fazê-lo energeticamente transparente como um livro aberto para a capacidade sensorial reptiliana e Arconte.

Isso se fez principalmente de duas maneiras: uma através de um implante etérico colocado entre o cérebro e o cerebelo, provocando dissociações entre os processos mentais e energéticos do indivíduo. Esse implante vem de geração em geração e nos acompanha desde o nascimento. A outra foi a ordem de inabilitar de alguma maneira as 12 hélices do DNA (+1) originais, restando apenas as duas hélices primordiais de sobrevivência

Mas, aqui a genialidade de Enki teve uma contrapartida que se manteve por muito tempo em segredo.

O homo sapiens sapiens, ou seja nós, estamos geneticamente incapacitados. É o que a ciência chama ignorantemente de "DNA lixo". Esses 90% do DNA, que a ciência atual desconhece para que servem, trata-se que Enki não as excluiu, ele simplesmente as desconectou. Ele sabia que dando-se as circunstâncias necessárias num momento de evolução consciente do indivíduo à sua essência divina, esse DNA sofre uma mutação, econectando-se e permitindo uma conexão suprafísica com nossa verdadeira essência e com nosso verdadeiro destino.

Isso é o que vivemos agora. Um Despertar de Consciência, um salto evolutivo como espécie. Por isso as organizações obscuras tentam exacerbar guerras, terrorismo, atentados, levantando falsas bandeiras de perda total de valores, destruição do núcleo familiar, a guerra dos sexos e tudo o que seja necessário para densificar a vibração, objetivando dificultar nossa evolução como raça e continuarmos servindo de alimento para as raças etéreas dominantes – encabeçadas pelos Arcontes.

Nestes últimos 150 mil anos, Caligastia deu uma reviravolta na situação encarnando um número muito grande de almas proveniente de um mundo em guerra, com toda a intenção de degenerar e densificar os habitantes terrestres e todas as raças que havia neste momento. Vale também comentar a existência de um conflito armado entre facções Annunaki, cujo campo de batalha foi o oriente médio e o Egito. Não se sabe, na verdade, muito a respeito, mas canalizações sugerem que esse conflito foi uma guerra nuclear há aproximados 115 mil anos antes de Cristo. Parece que o centro dessas disputas, Anu e Nenlil, teriam repartido a Terra entre seus dois filhos, Enki e Enlil, como comentam algumas tabuletas Sumérias, tentando apaziguar as ânsias de poder entre facções; e assim os milênios foram passando e como veremos não para o "bem".

Não contente, Caligastia, espoliadoe manipulado por energia Arconte, novamente tomou a decisão de captar um novo grupo de almas mais densas, mas esse grupo foi, propositalmente, buscado entre o pior dos piores, entre o mais escuro e denso grupo, da matéria, desse setor do Universo. Foram trazidas almas da constelação de Tao Sete, Capela e Boronaqui, mundos de extrema violência, guerra e poderosíssima magia negra.

Essa desgraça se deu por volta dos 90 mil anos antes de Cristo e traz as primeiras encarnações dessas almas endemoniadas, produzindo assim um verdadeiro despencar da vibração terrestre, possibilitando assim o objetivo final disso tudo.

Por volta de 80 mil anos antes de Cristo, havia formas de pensamento suficientemente densas na egrégora planetária para que os Arcontes de maior hierarquia pudessem se introduzir e servir de ponte para, como veremos, plantar a miséria espiritual entre as raças terrestres. Essa primeira incursão Arconte em nosso planeta foi fiel ao seu estilo, afetando as elites governantes e trabalhando para conseguir instalar o caos e o conflito.

Nesse exato momento, a Super Confederação resolve intervir e formar a barreira de frequência, colocando o planeta em quarentena.

Capítulo 7

A REBELIÃO DE LÚCIFER

"Eu queria iluminar a Terra inteira. Há eletricidade suficiente para criar um segundo sol. A luz apareceria ao redor do equador, como um anel em torno de Saturno. A humanidade não está preparada para a grandeza. Em Colorado Springs, impregnei a terra com eletricidade. Também podemos regar as outras energias, como a energia mental positiva, encontradas na música de Bach ou Mozart, ou nos versos dos grandes poetas."

Nikola Tesla

Para entendermos o que realmente foi a chamada "Rebelião de Lúcifer" e poder analisar todos os ângulos desse fato histórico galáctico, que tentou mudar a forma de gerenciamento do nosso universo, temos que entender quem são as partes envolvidas e o contexto no momento desse acontecimento.

A primeira dificuldade que normalmente temos é a de aceitar, conscientemente ou não, a definição de Lúcifer. Venderam-nos por toda a nossa vida que Lúcifer é Satanás, ou o Diabo, ou o Capiroto, o inimigo de "Deus"; um ser que devota sua existência para ir contra a humanidade. Essa definição é encontra em nosso dicionário de português, acreditem.

A palavra "Lúcifer" vem do latim e significa "portador da luz" ou "aquele que brilha" e é comumente utilizada para definir o planeta Vênus, pois ele **é** um dos mais brilhantes em nosso céu noturno. Como a Bíblia foi escrita em aramaico e grego antigo, não existe essa palavra por lá. Isso acontece somente quando da tradução para o latim e em nenhum momento aparece como nome próprio. Esse apelido do então "diabo", veio somente por volta do século 4 d.C. dada a uma interpretação de texto de Isaias numa referência ao então rei da Babilônia (o qual não nos interessa no momento).

No contexto galáctico, Lúcifer é um cargo administrativo e não um nome próprio. Lúcifer não é o maligno, nem nunca esteve contra a Fonte, nem sequer chegou a estar na Terra. Lúcifer não é nem sequer alguém. Lúcifer simplesmente é um cargo do conselho da confederação situado no centro da nossa galáxia, a Via Láctea.

Outra coisa muito distinta, é que o holograma (personagem) de Lúcifer neste plano foi manipulado, sendo ele associado a todo o mal. Como sempre distorcendo a verdade, o criando com um estereótipo de mal, como alguns poderiam entender como bom e vice versa, mas devemos ter a consciência de que os que mandam neste plano não são precisamente os bons no nosso conceito de dualidade terrestre.

No nosso centro galáctico existe um conselho executivo da luz divina. Um conselho de 12 entidades que são pura energia, 12 consciências presididas por uma consciência suprema chamada Lúcifer. Esse Lúcifer, ou "portador da luz", o executor das leis e disposições divinas, é afinal o instrumento tomador e executor de decisões discutidas neste conselho.

Fazendo uma comparação com a política no Brasil, seria como se esse conselho fosse o STF - Supremo Tribunal Federal e Lúcifer fosse seu presidente.

Essas disposições do conselho presidido por Lúcifer são de cumprimento obrigatório por toda a civilização que se considere em sintonia com a Fonte Universal Criadora e sua administração, já que se assume que suas atuações estão inspiradas pela mesma divindade suprema. Portanto, a federação galáctica de Alcione das Plêiades - a qual orbita nosso sistema solar - sempre acatou desde a sua instauração as demandas oriundas do conselho executivo da luz divina.

Esse conselho estava assistido por uma ordem de geneticistas. Essas entidades já não eram consciências sutis, mas sim possuíam corpos materiais nas dimensões conscienciais 4D, 5D e 6D. Essa ordem chamada Lanonandek, era a que supervisionava os planos genéticos de implantação de raças designado pelo conselho, era o seu braço executor. Esses geneticistas que trabalhavam para o conselho eram altamente respeitados já que, colocavam em desenvolvimento os planos idealizados pela própria Fonte.

Vimos anteriormente como a federação local adotou a estrutura social de castas para organizar a imensa quantidade de clones que se havia criado para lutar na grande guerra de Orion. Além do mais, essa espécie de nova religião criada estancava a evolução do indivíduo já que quando desencarnava, carregava a memória dessas almas no denominado Super Serafim: um supercomputador quântico de quinta dimensão do espaço-tempo no centro galáctico. Essa alma voltava a encarnar quando se estimava necessário, em um novo corpo desta mesma casta, não podendo evoluir espiritualmente, nem superar o nível social a que estava confinado*ad eternum*.

Isso produziria também um estancamento do Eu Sou à consciência matriz a que pertencermos e a qual se ramificam em Almas e fractais de Almas com o fim de experimentar e aprender. Pouco a pouco vai se reunindo, recuperando esses fractais até atingir a reunificação total, o Eu Sou prossegue com toda essa bagagem e sabedoria até a Fonte em sucessivos estágios superiores; e essa reunião do Eu Sou estava comprometida.

Muitos anos atrás durante a guerra de Orion onde a opressão reptiliana quase levou a raça humana à extinção, a federação siriana havia providenciado a distribuição de fêmeas humanas biológicas por distintos mundos, dando origem por adaptação ao meio, a humanos com características muito diversas entre si, incluindo humanos aquáticos, frutos de mesclas com anfíbios. Tudo o que era necessário para a sobrevivência da raça humana foi feito.

Todos esses corpos eram dotados de uma alma que ficava retida no Super Serafim até que fosse requerida para reencarnar. Foi assim por muito tempo, até que um grupo delas se tornou consciente da manipulação reencarnatória que estavam submetidas e se rebelaram a não reencarnar mais, argumentando que eles foram vetados ao direito de evoluir. Foi então que o império siriano os aprisionou por rebeldia em uma singularidade do espaço tempo e isso foi definitivamente contra o mandato de Lúcifer de que toda alma deve ser livre em seu caminho para a evolução a Fonte.

Sim. Lúcifer, ao saber o que estava ocorrendo em nossa galáxia com o aprisionamento de almas e fractais no Super Serafim, propôs para votação no conselho da luz divina o fim das castas e a liberação imediata das almas, para seguirem o fluxo de experienciação e caminho de volta à Fonte. E assim foi aprovada.

Segundo Bertus do canal *Caminando el Sendero* em sua *Saga Annunaki*, os argumentos do Lúcifernesse momento diziam:

> *Desde quando se permitiu que o Eu Sou não possa reunir todas suas almas para prosseguir seu caminho a Fonte? Quando decidiram tal coisa? Esse sistema de castas no qual se organizavam muitas civilizações vai contra a luz que vive em cada indivíduo e também contra cada fractal da Fonte que mora em cada ser, e sendo assim, vai contra a própria Fonte Criadora.*
>
> *Dado o estado das coisas, se exige a dissolução total do sistema de castas a todas as civilizações inscritas neste conselho no prazo mais breve possível. Essa determinação não é interpretável, essa determinação não é discutível, essa determinação não é negociável, essa determinação não é postergável.*

Portanto, todas as civilizações que utilizavam o modelo de castas deveriam encerrá-las de imediato em todos os planetas da nossa galáxia. Mas, em alguns casos, os milhões de anos de dominação de uma minoria sob uma maioria causavam resistência a essa mudança tão radical que libertava do poder de uma elite, bilhões, senão trilhões de fractais que estavam impossibilitados de voltar à Fonte.

Timidamente algumas pequenas federações responderam de forma positiva. A primeira grande civilização a apoiar o decreto de Lúcifer foi Andrômeda - oriundos de nossa galáxia vizinha, mas habitantes da nossa Via Láctea. Muito tempo atrás, grandes sábios da federação andromedana já haviam apontado esse sistema como imoral e espiritualmente censurável e, já, haviam implementado algumas mudanças para fazê-la mais flexível. Esse mandato foi tomado com bastante naturalidade pelos dirigentes de Andrômeda.

Mas o grande apoio veio da federação humana. O império Siriano, apesar de seu caráter totalitário, imperialista, com mais de 1.200 sistemas solares embaixo de seu domínio, apoiou finalmente a postura do conselho, mesmo que a classe dominante Siriana ainda sofresse com seu apego ao poder.

FIGURA 39: representação do Arcanjo Lúcifer. Fonte: Internet.

Essa decisão foi uma surpresa para algumas federações e sistemas. O tempo ia passando e todos os olhares se voltaram à outra civilização humana que ainda estava sem resposta: as Plêiades. Ali, as discussões seguiam e como resultado delas o grande conselho Pleidiano estava se polarizando em duas posturas, uma a favor de apoiar o mandato, mas outra estava assumindo um posicionamento preocupante. Nunca antes se havia posto em dúvida o conselho da luz, mas agora essa facção pleiadiana estava fazendo isso.

Sem disfarces nas deliberações internas do conselho, acusavam Lúcifer de não estar em sintonia com a Fonte. Que ele era um ser orgulhoso, que assim que chegou ao cargo colocou os pés pelas mãos tentando destruir a estrutura social de castas, que havia garantido durante milhões de anos a sobrevivência da própria raça humana.

Mas, devemos observar que dentro do grupo que apostava no sim, havia uma facção que o apoiava, não por convencimento moral espiritual, mas sim, pela oportunidade de desvencilhar-se do domínio da grande federação de Alcione das Plêiades, que englobava 49 federações, não só humanas como reptilianas, insectoides, espectrais e outras formas biológicas inimagináveis para nós nesse momento.

O mesmo acontecia em diversas outras federações. Não era somente uma oportunidade de liberar essas almas, mas também uma excelente oportunidade de "libertação" para várias federações que não queriam mais pertencer a esse sistema político de federações, confederações e superfederações, o qual se manifestava complexo, burocrático, limitante e muitas vezes até corrupto.

Nesse momento, várias federações das Plêiades e de Orion começaram a colonizar mundos livres e fora da área de atuação da Federação de Alcione. Parte da federação de Orion veio inclusive para a Terra habitar as regiões de 5D e 6D no espaço-tempo as quais encontravam-se inabitadas nesse período.

Essa facção estava comandada por Satã – outro nome associado ao "diabo", mas que na verdade era um reptiliano então "positivado" e membro do alto escalão do conselho Lanonandek de geneticistas, que prestava serviço e apoio a Lúcifer, monitorando os projetos de desenvolvimento genético de distintos mundos.

Na Terra, Lúcifer condenou inclusive a conduta Annunaki e esses desacreditaram nessa entidade, apropriando-se eles mesmos da identidade de Deus criador em detrimento da Fonte. Esse Deus Pai representado como um ancião, aborrecido, negativo, ridiculamente zeloso, ditador, responsável por sacrifício de animais e humanos. Esse personagem definitivamente não é Deus, já que Deus não é um senhor com barba.

Deus seria a imensa luz da Fonte universal. Aquele que se autointitulou deus neste plano não é nada mais do que um simples comandante e usurpador de civilizações com mais tecnologia e maiores capacidades físicas e psíquicas que nós. Nada mais do que um autêntico farsante comparado com o que é a enormidade da Fonte Criadora Universal.

Temos que entender agora o Sistema de administração do universo e a relação de Lúcifer. Já descrevemos anteriormente como a administração vem desde o "Paraíso" central e os sete Superuniversos. Nosso Universo é administrado pela consciência que chamamos de Miguel e Lúcifer que começaram a discordar da forma como as coisas estavam sendo conduzidas por aqui.

O Livro de Urantia é extremamente tendencioso quando analisa essa "rebelião". Fala mal de Lúcifer do começo ao fim, utilizando uma linguagem religiosa e de interpretação dúbia. Temos que levar em consideração que o livro é como uma "bíblia" Pleidiana – ou seja, da Federação de Alcione, ou seja, aquela mesma que abrigava as 49 federações sistêmicas com o sistema de castas.

Num dado momento, Lúcifer resolve publicar uma Declaração de Liberdade a qual contém informações e ideias bem interessantes.

Basicamente o que ele diz é que a figura de um Deus único não existe e que os Filhos do Paraíso inventaram esse personagem para servir como ferramenta de manipulação das consciências no universo para mantê-las sob a dominação dessa "elite", impossibilitando-as da reconexão com a verdadeira Fonte - o conjunto da gravidade, energia e tudo que tem no espaço.

Lúcifer ainda disse que os sistemas locais deveriam ser autônomos e não subordinados a esse sistema burocrático universal, encabeçado por Miguel, o qual acusava de alimentar também essa ideia de Deus "personificado". Ele o reconhecia como o Criador local, mas não como o seu "deus", nem como seu governante de direito.

Ele ainda foi mais longe: falou que os Anciões dos Dias não tinham o direito de interferir nos assuntos dos universos e sistemas locais e os denunciou como tiranos e usurpadores. Que todos os seres teriam direito de viverem eternamente e não o faziam por causa de decisões arbitrárias desses seres.

A ideia era afirmar que qualquer sistema poderia ser autônomo: bastava declarar a sua independência por direito. Para resumir: Lúcifer denunciava um sistema burocrático, ineficiente e corrupto na administração do nosso universo, com consequências que chegavam até a administração central dos sete Superuniversos, comprometendo a experiência de incontáveis consciências habitantes desse conglomerado de realidades.

Esse manifesto começou um movimento pela liberdade. Ele defendia que todo governo deveria ser planetário e que a adesão a sistemas e federações locais deveria ser opcional e não obrigatória. Condenada a concentração de atividades legislativas, executivas e judiciárias, começou uma organização independente em sua área de atuação com o apoio de sistemas que concordavam com seu posicionamento sob o nome de "mundos e sistemas liberados".

Lúcifer decidiu lutar contra o sistema. Várias rebeliões aconteceram em diversas federações sistêmicas pelo universo. Ele não parava de apontar e denunciar todas as falhas no sistema, causando uma alvoroço na política do universo local.

Chegou um dado momento em que a situação saiu do controle e uma guerra começou entre os pró-Lúcifer e os pró-Sistema, atual de Miguel. Um "exército" liderado por Satã em nome de Lúcifer, e outro liderado por Gabriel em nome de Miguel foi criado. A batalha não foi física, mas sim de consciências. Muitos eram os aliados dos dois lados e quase que uma divisão pela metade das consciências administradoras do universo ocorreu nessa época.

Essa "guerra-debate" foi vencida por Gabriel. Lúcifer foi automaticamente excluído e destituído de seu cargo. O sucessor dele, o novo Lúcifer, nomeou um novo administrador para a Terra – o qual encontra-se aqui até hoje.

Toda história é contada pelos vencedores. Por isso, escutamos em vários textos religiosos a vitória de Deus sob o mal, da luz sob as trevas, a vitória sob o dragão e por aí vai.

É verdade que várias "atrocidades" foram cometidas em nome da Declaração de Liberdade de Lúcifer – inclusive todas as besteiras que Caligastia fez por aqui. Mas pelo que se sabe esse nunca foi seu intuito. Parece-nos que ele procurava uma vertente onde os sistemas pudessem ter uma opção de se aliarem ou não ao sistema atual imposto. Afinal, o que é imposto nos parece mais uma ditadura, não é mesmo?

A condenação final de Lúcifer, Satã e seus parceiros ainda está pendente na administração geral dos Superuniversos e o tribunal dos Anciões dos Dias.

O Livro de Urantia termina assim esse capítulo:

> *"Contudo, durante idades, os sete mundos de prisão, de escuridão espiritual em Satânia, constituíram um solene aviso para todo o Nebadon, proclamando eloquente e efetivamente a grande verdade 'de que o caminho do transgressor é duro'; 'pois dentro de cada pecado está oculta a semente da sua própria destruição'; e que 'a recompensa do pecado é a morte'."*

Capítulo 8

O QUE O SGS NÃO QUER QUE VOCÊ SAIBA

"O corpo do homem é uma máquina perfeita. Conheço meu circuito e o que é bom para ele. Comida que quase todas as pessoas comem, para mim é prejudicial e perigosa. Às vezes, visualizo cozinheiros do mundo conspirando contra mim."

Nikola Tesla

No meu livro *A Resposta Para Tudo*, eu apresento o SGS (Sinistro Governo Secreto - sigla popularizada nos anos 90). São informações básicas de quem são e o que fazem. Basicamente, trata-se de uma "elite" que comanda o sistema financeiro mundial, consequentemente comandando todo o resto: dinheiro, política, cultura, educação, etc.

O SGS é formado por pessoas encarnadas como eu e você, que são controladas, sabendo disso ou não, por entidades / consciências desencarnadas muito antigas no planeta que popularmente chamamos de Cabala (mais uma vez não confundir com a Cabala judaica); da época em que se levantou a barreira de frequência (também explicado no *Resposta*).

O Governo Secreto tem três sedes mundiais: a política, que fica na capital americana em Washington, DC; a sede financeira que até então fica em Londres, na Inglaterra e a sede espiritual que é no Vaticano, na Itália.

Também comentei no meu primeiro livro que o SGS possui tecnologia de viagens estelares há algum tempo, possuindo seu próprio programa espacial secreto - inclusive revelado por Corey Goode, entre outros.

Um dos maiores reveladores desse programa chamava-se Pete Peterson - um ex-engenheiro que trabalhou sua vida toda nos programas, tendo visitado mais de 60 bases do SGS fora do nosso planeta.

Sim, você leu certo, SESSENTA. Seus depoimentos vieram à tona por intermédio de David Wilcock, mas infelizmente Pete morreu em 2019 de forma, no mínimo, suspeita.

Nesta nova "era do Despertar", em que vivemos, diversos conflitos começaram a acontecer internamente no SGS, pois como as informações são compartimentalizadas sempre o nível em que se fala acha que é o último e mais alto da cadeira, o que geralmente não é verdade. Só para ter uma ideia, acima do presidente americano atualmente temos aproximadamente 45 níveis gerenciais.

Conforme as informações são reveladas para a população em geral, os membros do SGS também ficam sabendo – assim, também sabem que não estão no topo. Isso vem gerando algumas dissidências, além de outros motivos de divergência de como a situação está sendo conduzida atualmente. Assim, dessas dissidências, foi criada a chamada "Aliança Terrestre", a qual o presidente americano Donald Trump faz parte, por exemplo.

Não é a toa que em 2019 tivemos a criação oficial de mais um braço nas Forças Armadas Americanas: o Comando Espacial. Ele está atualmente subordinado à Força Aérea Americana, mas em poucos anos será uma entidade independente.

A "Aliança Terresre" foi criada para servir de plataforma de revelação de tecnologias que o SGS possui para a população em geral, servindo também para acostumar a humanidade com os avistamentos de OVNIS, que serão revelados como tecnologia humana secreta. Assim, quando realmente tivermos contato com extraterrestres abertamente, todos, além de já estarem acostumados com os avistamentos, ainda se sentirão mais seguros sabendo que o planeta possui uma linha de defesa.

Bom, pelo menos é isso que eles pretendem e pensam segundo o estudioso de exopolítica Dr. Michael Salla.

Como a estratégia do SGS sempre foi a dominação pelo dinheiro, mercado financeiro, não existe um banco no mundo que não esteja atrelado a essa estrutura. Com a criação da Aliança, as forcas se dividiram. Atualmente, Rússia, EUA e China, de uma forma genérica, brigam pelo comando do SGS e da Aliança.

Os grandes bancos atualmente são americanos ou ingleses, ou seja, SGS. Mas os antigos "Dragões" - como são conhecidos os controladores da elite dos bancos asiáticos sob o controle principalmente da China - estão fechando parceria com a Aliança terrestre para derrubar o SGS. Assim, não me surpreenderia se partisse desse grupo asiático alguma ação de revelação parcial das "falcatruas" do SGS. Nesse sentido, David Wilcock já mencionou que é provável que venha em formato de filme "Hollywoodiano". Vamos ver.

A diferença básica entre o SGS e a Aliança é o modo de conduzir o domínio sobre o planeta. O SGS quer continuar dominando pelo medo, utilizando o dinheiro e a religião, enquanto a Aliança propõe a dominação pela disciplina e pela pseudoqualidade de vida - o famoso "entra na linha que nada te acontece" - com um novo sistema financeiro e sem conflitos. Um governo único mundial (NOM ou nova ordem mundial) e nós só temos que entregar a nossa liberdade por isso.

Vejam que os dois são "farinha do mesmo saco". Os dois querem controlar a revelação da verdade e não se interessam genuinamente na ascensão consciencial da humanidade. A proposta da Aliança se torna mais viável somente porque a era do Despertar é agora, então nem SGS nem ninguém vai conseguir mudar isso e segurar a mudança frequencial que já está acontecendo. A tentativa, de ambos os lados, é de controlar a narrativa.

Esse capítulo poderia ser infinito, mas resolvemos escolher mais uma vez, somente alguns dos assuntos que o Sinistro Governo Secreto não quer que você saiba. Na verdade, na grande maioria das vezes, o segredo é guardado no melhor esconderijo possível: bem em frente dos nossos narizes.

"EPSTEIN NÃO SE MATOU"

A frase em inglês para esse título - *Epstein didn't kill himself* - começou a ser postada freneticamente por todos os militantes da Verdade na América do Norte logo após a morte (suposto suicídio) de Jeffrey Epstein ser anunciada dia 10 de agosto de 2019, dentro de um presídio com alta segurança.

Ela ganhou o mundo da Internet com *memes* e até começou a aparecer em eventos mundiais esportivos importantes ou de premiações nas televisões. Virou uma febre, portanto, uma vitória para os "teóricos conspiratórios".

Mas esse é o fim da história. Vamos do começo. Quem é ou foi Epstein?

FIGURA 40: Jeffrey Epstein. Fonte: The New York Post.

Jeffrey Edward Epstein, de origem judia, nasceu no dia 20 de janeiro de 1953 nos Estados Unidos. Começou sua vida profissional como professor, passando a trabalhar em bancos onde mais tarde onde formou uma fortuna e obteve um excelente resultado no ramo de investimentos, tornando-se um dos bilionários mais influentes do mundo.

A polícia de Palm Beach, na Florida, EUA, onde Jeffrey morava, recebeu uma denúncia de que ele abusava sexualmente de sua filha de 14 anos na época. Ele se declarou culpado. Junto com essa condenação, veio outra na mesma investigação onde ele procurou uma garota menor de idade para serviços de prostituição, servindo pouco mais de um ano na cadeia por causa de um acordo judicial. A polícia federal havia identificado cerca de 36 meninas, algumas com cerca de 14 anos de idade, as quais ele abusou sexualmente.

Epstein foi finalmente preso novamente em 6 de julho de 2019 acusado pelo FBI - Polícia Federal dos EUA - por tráfico sexual de menores, ou seja, ele mantinha uma rede de abuso sexual de crianças menores de idade.

Só a história até aqui já seria deplorável. Mas ela piora um pouquinho.

O FBI revelou que Epstein tinha uma ilha privativa chamada *Little St James* localizada no leste de Porto Rico que ficou conhecida como "Ilha da Orgia", onde ele levava menores trazidos do mundo todo para terem relações sexuais com ele e seus amigos.

Moradores disseram que as autoridades locais sabiam disso e não fizeram nada para impedi-lo, pois ele "dava gorjetas robustas", de acordo com a revista *Vanity Fair* de 20 de julho de 2019.

A revista *Business Insider* de 16 de janeiro de 2020 publicou uma lista com alguns dos nomes famosos que teriam ligações de negócio com Epstein e provavelmente frequentavam sua ilha. São nomes como Bill Clinton, Kevin Spacey, a socialite Ghislaine Maxwell, Príncipe

Andrew da realeza inglesa, entre outros nomes importantes de políticos, atores, músicos, homens de negócio e gente da alta sociedade mundial.

Gente importante, gente influente, a nata do SGS e da elite mundial envolvida em tráfico sexual de menores e pedofilia. Tudo revelado abertamente pelo FBI, sendo noticiado em todas as redes de televisão mundiais e jornais mais importantes do mundo.

FIGURA 41: foto da ilha de Epstein a esq. e do cenário de Ellen a direita. Coincidência?

Um dos norte americanos buscadores da verdade atualmente, Jordan Sather, quando o FBI invadiu a ilha de Epstein após sua prisão, revelou algumas fotos do local e fez uma comparação, no mínimo, interessante.

Na figura à esquerda, temos uma das fotos da "ilha da pedofilia" e na figura à direita, temos uma foto da "queridinha" da mídia Ellen Degeneres, durante o seu programa diário de entrevistas na televisão Americana chamado "Ellen". Seria somente coincidência? - Pergunta Sather.

Quando de sua prisão pelo FBI, foi revelado que Epstein teria provas do envolvimento de pessoas importantes no mundo todo em seu círculo pedófilo. Nomes de todos os tipos, religiões, profissões.

Pessoas importantes e influentes mundialmente. Assim, ele foi levado a uma prisão de segurança máxima e observado 24 horas por dia, 7 dias por semana por uma câmera de segurança, pois seu depoimento e seus documentos eram fundamentais para o andamento da investigação.

Então, quase um mês após sua prisão, sua morte foi anunciada e o suicídio por enforcamento dado como o acontecido.

O interessante é que as câmeras de segurança da cela no exato momento do suicídio não funcionaram direito e nada foi filmado durante esse período. As imagens que a polícia tem é de Epstein vivo em sua cela e depois deitado no chão, morto. Outro ponto interessante é que houve um apagão de luz na prisão por alguns segundos no exato momento em que ele se "suicidou". O último fato interessante que vou citar, dentre os diversos já contados, desse caso, é que nenhum dos mais de oito guardas que faziam posto na sua cela ouviram nada e não fizeram nada.

Assim, junto com Epstein, morria a investigação com seu testemunho e suas provas. Será?

De acordo com Dr. Michael Salla, pesquisador norte americano especializado em exopolítica, em sua palestra, no evento *Dimensions of Disclosure*, realizada em agosto de 2010, na Califórnia, nos EUA e confirmada pelo ex-agente John Desouza, com mais de 25 anos de carreira no FBI, Epstein foi "sequestrado" numa operação de cinema pela então chamada Aliança Terrestre.

Um time de elite da Aliança teria causado a apagão, entrado na cela, capturado Epstein, colocado um corpo similar ao dele no local e saído com o bilionário. Sua localização e o que aconteceu com ele até hoje não são conhecidos. Mas foi dito que o objetivo seria de tirar todo o testemunho possível, recolher todas as provas – fora do sistema oficial de justiça americano – para então juntá-las aos processos já em andamento em segredo de justiça chamado "indictments". Assim, estariam garantindo a justiça a médio e longo prazo no caso e não estariam a mercê do SGS na sua investigação "oficial".

Nessa temos que esperar para ver.

A divulgação do suicídio de Epstein foi tão banal que a frase "Epstein não se matou" tomou a Internet e as mídias tradicionais no mundo todo, servindo como uma porta estreita de abertura de consciência da massa consumidora em geral, que finalmente conseguiu enxergar que tem algo de errado nessa história.

PRÍNCIPE ANDREW

Bom, você já deve ter reparado que esse membro da realeza britânica estava envolvido com Epstein. Portanto, já pode imaginar a história que vou contar.

Andrew Albert Christian Edward nasceu em 19 de fevereiro de 1960 em Londres, Inglaterra. É o segundo filho da rainha Elizabeth II, portanto irmão do futuro rei britânico o Príncipe Charles. Ele é (ou era) hoje o capitão de fragata e vice-almirante da Marinha Real Britânica.

Seu envolvimento com Epstein foi revelado no dia 16 de novembro de 2019 pela rede BBC e em 20 de novembro, ou seja, quatro dias depois, ele suspendeu seus deveres públicos "pelo futuro previsível".

Mas, as acusações não pararam por aí. Não somente ligações com Epstein, mas também ações próprias como a noticiada pelo jornal americano *The New York Times* no dia 2 de dezembro de 2019, onde uma garota dá uma entrevista a BBC de Londres dizendo que foi forçada a ter relações sexuais com o príncipe em 2001. É a primeira vez em que a realeza britânica é comprovadamente atrelada a pedofilia.

FIGURA 42: príncipe Andrew – Duque de York. Fonte: Wikipédia.

Acredito não ser mais necessário descrever casos de tráfico sexual de menores e pedofilia, ou ainda citar mais nomes. Por agora você, leitor, já deve ter percebido que vivemos em tempos, no mínimo, interessantes.

Repare que o raciocínio não é que essas pessoas estão fazendo isso hoje em dia e que o mundo piorou. Pelo contrário. Essa dita "elite" já faz isso há milênios e nunca foi exposta. Essa é a primeira vez na história da humanidade em que a Verdade está sendo revelada para quem tem "olhos de ver". É a prova concreta de que estamos na Era do Despertar. Só não vê quem não quer.

Temos a oportunidade de não mais ficarmos somente na luta metafísica, etérea e sem tangibilidade que dizemos que ocorre no astral. Podemos realmente ver ações concretas acontecendo neste plano, nesta dimensão, em nosso planeta, hoje e agora, diante de nossos olhos. Não precisamos mais acreditar no que nos dizem ou ficar investindo tempo em entender todas as raças de extraterrestres do Universo.

Finalmente o caminho do Despertar está sendo revelado. O verdadeiro caminho. Aquele que investimos de dentro para fora, lutamos pelos nossos direitos inteligentemente, nos UNIMOS e JUNTOS derrubamos essa pouca vergonha de sistema que nos governa. Do outro lado, mas aqui também.

INAUGURAÇÃO DE TÚNEL NA SUÍÇA

Depois de dezessete anos de construção, o túnel ferroviário mais longo do mundo, que percorre boa parte dos alpes suíços por 57 km ligando o país a Alemanha, foi inaugurado no dia 1 de junho de 2016.

O feito era grande. A inauguração virou um evento internacional. Foi organizada uma cerimônia de abertura para o túnel *Gotthard Base*, a qual foi transmitida ao vivo pela grande mídia europeia e teve os principais nomes da comunidade presentes, incluindo a chanceler alemã Angela Merkel, o então presidente Frances François Holandês e o primeiro-ministro italiano Matteo Renzi.

Para começar a entender a cerimônia, é preciso saber de uma lenda local contada nos cantões suíços, descrita a seguir.

> *Moradores pediram ajuda ao Diabo em pessoa na construção de uma ponte para poderem atravessar um perigoso despenhadeiro naquele montanhoso país. O Diabo concordou, mas exigiu, em troca, a primeira alma da pessoa que atravessasse a ponte.*
>
> *Ponte pronta, chega a hora de honrar o sinistro compromisso. Mas os aldeões enganaram o Diabo e enviaram uma*

cabra no lugar de um homem para passar pela ponte. Enfurecido, o Diabo se dirigiu a uma grande pedra que pretendia jogar na ponte para destruí-la. Antes disso, uma mulher colocou a marca da cruz sobre a rocha, impedindo que o Diabo a tocasse. Percebendo a impossibilidade de punir aqueles que romperam o contrato, em seguida o Diabo desceu para o interior da montanha.

Inspirado por essa história (ou não), a cerimônia de inauguração do túnel foi idealizada pelo diretor teatral alemão Volke Hesse. A ideia como foi passada era de continuar essa lenda numa celebração da cultura Alpina local, mas o resultado confundiu tanto os espectadores quanto algumas partes da mídia.

O espetáculo foi executado no local por 600 atores e dançarinos, com adereços, coreográficas e imagens que sugerem temas como o Apocalipse, paganismo, magia negra e satanismo. Dentre as cenas executadas, está a de trabalhadores que foram mortos durante a construção do túnel sendo levados por um "anjo andrógeno" com asas enormes e uma peculiar máscara de bebê. Além disso, bestas cabras sugerindo atos sexuais, um cordeiro morto (alguma referência bíblica?), homens seguidores de um "homem-cabra" e por aí abaixo.

Não tem como descrever. Tem que assistir. O YouTube possui diversos canais que possuem esses vídeos (em português – túnel São Gotardo). Assistam e tirem a própria conclusão. A minha é que foi um ritual satânico bizarro na frente de todos, incluindo sacrifícios e uma enorme demonstração de poder do SGS sendo esfregado na cara da população mundial.

RITUAL NA FRENTE DO CERN

Comentamos sobre o CERN e o LHC no livro *Resposta* e vimos que eles são aceleradores de partículas que ficam localizados no subterrâneo da Suíça (de novo esse país?) e tem como objetivo o estudo de partículas

Em agosto de 2016 vazou um vídeo supostamente filmado por dois garotos em um prédio em frente ao do CERN, onde um suposto ritual satânico acontecia em frente à estátua de Shiva que está localizada na porta do complexo. Não vou nem comentar agora o que essa estátua estaria fazendo ali.

No vídeo, três pessoas encapuzadas trazem uma mulher com uma roupa branca no meio da noite e se posicionam em frente à estátua. Os dois rapazes curiosos continuam filmando e se perguntam o que estaria acontecendo, quando um dos homens supostamente sacrifica a mulher e imediatamente os garotos param de filmar e saem correndo.

FIGURA 43: estátua do "deus" Shiva em frente ao CERN.

Mais uma vez peço a vocês que acessem o YouTube e procurem o vídeo e tirem suas próprias conclusões. A primeira reação da administração do CERN frente ao vídeo foi de declarar que esse ritual aconteceu sem o consentimento da instituição e que não endossam esse tipo de atividade. Ou seja, não negaram ou contestaram a veracidade do vídeo.

Mais tarde, o CERN divulgou que o ritual não passou de uma "brincadeirinha" organizada por pesquisadores para "dar uma descontraída" na dura rotina vivia no local.

Bela brincadeira, não acham? Saudável.

Hoje em dia podemos encontrar várias reportagens desmentindo o acontecido e seguindo a velha tática de ridicularizacão e desinformação já conhecida. Se o vídeo é verdadeiro? Não sei, vejam por vocês. O que sei é que essas coisas acontecem sim.

As informações que chegam por fontes espiritualistas é que o CERN teria como objetivo o estudo de abertura de portais interdimensionais, visando a livre passagem entre dimensões dos diferentes aliados do SGS e da Cabala escura.

DETURPAÇÃO DO MASCULINO X DO FEMININO

Essa também é antiga, mas nunca esteve tão forte como atualmente. Mas não poderia ser diferente mesmo, pois na era em que a humanidade estava finalmente buscando o equilíbrio entre essas duas energias fundamentais do universo, a elite dominante não poderia deixar de nos atacar no centro de nossas forças.

Muito cuidado quando mexer nesses assuntos de masculino e feminino nos dias de hoje. Até quem pensa que sabe algo sobre esse assunto, nem sonha o que tem por trás disso.

Já discutimos no *Resposta* como ondas ideológicas com origens justas são deturpadas com o intuito de dividir para conquistar. Infelizmente, o movimento Feminista foi um dos atingidos, o transformaram de uma ação para igualar a polaridade dos gêneros na Terra para um movimento de ódio.

Alguns pontos nos parecem óbvios quando vemos supostas feministas - digo supostas porque não podem ser enquadradas como tal com um discurso de ódio - discorrendo como "homens não prestam", usando termos como "dívida histórica" ou lutando por privilégios e os chamando de direitos. Igual é igual, não é diferente. Parece óbvio, mas no dia a dia, no calor das conversas, não enxergamos isso muitas vezes.

É preciso sim corrigir o desbalanceamento das energias masculina e feminina que temos no mundo hoje. Assim como, já foi feito uma tentativa há alguns milênios quando a energia predominante era a feminina. O objetivo é o equilíbrio, a perfeita harmonia entre as duas.

A estratégia que está obtendo sucesso do SGS para deturpar essas energias mais uma vez é não abrir mão do domínio da energia masculina. Energia esta que em sua negatividade favorece as guerras, os conflitos e a agressividade, é a de igualar a energia feminina com a masculina, ou seja, a mulher deve se comportar como um homem.

Respire fundo. Sim, todos devem ter direitos (e deveres) iguais perante a lei e devemos lutar na Terra para isso. Ponto final. Agora, vamos falar de deturpação de energia?

A energia masculina e a energia feminina andam juntas. São duas metades de um todo. O positivo e o negativo, o Yin e o Yang, as duas partes de uma mesma moeda. Uma não existe sem a outra. O projeto de gêneros com a divisão desigualitária das forças só existe no Universo de 7D de espaço-tempo para baixo, mas mesmo assim, todos possuem as duas energias em si independentemente de serem homens ou mulheres. A diferença é que uma das energias domina durante esse processo.

Sendo assim, um homem não pode ser igual a uma mulher energeticamente e vice-versa. Resumidamente, a energia feminina é a de acolhimento, cuidado, visão macro, emoções, criatividade. A energia masculina é a de foco, objetivo, cumprimento, visão micro e detalhista, disciplina. Consegue ver como elas se completam? Conseguem ver como estão tentando fazer com que as mulheres sigam a cartilha da energia masculina?

Eu não precisaria escrever aqui, mas vou: isso não quer dizer que o homem não pode ser criativo ou a mulher não consegue ter foco, por favor. Como também disse todos temos as duas energias em nós mesmos e devemos chegar o mais próximo do equilibro possível, mas SEM lutar contra o fluxo NATURAL das energias.

A Dra. Eleanor Luzes, médica psiquiatra a mais de 30 anos criadora da "ciência para o início da vida", nos traz vastas referências tangíveis sobre o assunto, tanto em estudos científicos como em sua experiência em consultório.

FIGURA 44: masculino e feminino. Fonte: Internet.

Um excelente caso que ela nos traz é do aumento desproporcional de mães solteiras no mundo todo. A Dra. Eleanor nos diz que a mídia vende um discurso de "mulher oprimida", quando na verdade ela esqueceu o que veio fazer aqui nesse mundo como portadora da harmonia, a "chave da inspiração" - em outras palavras, esqueceu como fluir com a energia escolhida antes da encarnação.

Ela continua dizendo que numa relação heterossexual se a mulher insiste em "comandar" a relação ela acaba "castrando" o homem. Repare, em nenhum momento ela fala de submissão, por favor. Vamos entender o contexto e os papéis.

O curioso, diz a doutora, é que esse homem já veio castrado, pois já sofreu um abandono - se não físico, emocional - por seu pai, pois os chamados "rituais de passagem" não acontecem mais, tanto do lado masculino quanto feminino. Basicamente eles consistem na menina sendo introduzida no mundo da mãe e o menino sendo introduzido ao mundo do pai na pré-adolescência (12 a 15 anos). Repararam o porquê da festa de 15 anos das meninas e o Bar-Mitvah judaico aos 12.

Temos como referência o documentário "O silêncio dos homens", facilmente encontrado gratuitamente no YouTube.

Por isso que o "Sagrado Feminino" como é "vendido" por aí não existe! Não existe sem o "Sagrado Masculino". Não tem como falar numa energia sem falar na outra, não tem como cuidar de uma energia sem cuidar da outra. São duas metades da mesma energia!

Temos sim que tomar cuidado no uso das palavras corretas, pois palavras são mantras, frequências. Enquanto falarmos em "Sagrado Feminino" somente, estamos alimentando a deturpação da energia criada pela Cabala escura - com ou sem essa intenção.

Igualdade é igualdade. Ou estamos JUNTOS ou não estamos.

MARTE E O QUARTO REICH

Já vimos no livro *A Resposta Para Tudo* que o Quarto Reich foi formado a partir do Terceiro Reich liderado por Adolf Hitler, bem antes da Segunda Guerra Mundial. Também sabemos que eles chegaram na lua entre os anos vinte e trinta do século passado e em marte entre os anos trinta e quarenta. Falamos sobre a lua, mas não falamos muito de marte.

O Quarto Reich, já separado da Alemanha Nazista como organização independente, foram os primeiros humanos a chegar a Marte e formar uma colônia no começo dos anos trinta.

No começo, eles tiveram ajuda de uma raça alienígena "viajante no tempo" que volta ao passado e aterrissa em nossa linha no começo dos anos dez, portanto antes da criação do Terceiro ou do Quarto Reich. Eles ajudam Adolf Hitler e a Alemanha em geral e logo após a Segunda Guerra começam a atuar com maior força, no sentido de criar as duas organizações para atuar nas duas frentes: o Terceiro Reich na Terra e o Quarto Reich como um possível poder no Universo local.

Essa ajuda vem em ouro, assim como outros materiais os quais não existam na Terra, tecnologia e conhecimento. Um dos principais conhecimentos tecnológicos adquiridos no começo dos anos vinte foi o de portais. Foi assim que eles transportaram todo o material para a construção da base na lua e também em Marte.

Nessa época, de acordo com informações de Corey Goode, eles só conseguiam transportar matérias inanimadas, ou seja, sem vida, pois quando tentaram fazer o transporte de pessoas tiveram mortes indescritíveis.

O interessante é que tudo o que estamos falando ocorreu bem antes do projeto Filadélfia, nos anos quarenta, o qual a embarcação da marinha americana vai a uma outra dimensão e volta, mas seus tripulantes morrem.

Nesse começo da colonização marciana, todos os materiais eram passados pelos portais e os humanos do Quarto Reich seguiam em suas naves, também fruto de passagem de tecnologia extraterrestre.

Foi somente nos anos cinquenta, também com ajuda de fora, que eles conseguiram dominar a tecnologia de portais fazendo transportes de pessoas. No começo, os humanos que passavam por essa experiência desenvolviam uma espécie de "demência" após alguns dias do ocorrido. Mas, passando-se alguns anos, esse efeito colateral foi resolvido e eles já utilizam essa tecnologia desde então.

Alguns anos mais tarde, o próprio SGS passou a dominar essa tecnologia e a usá-la, conforme também menciona Corey Goode nas suas passagens pelo programa "Solar Warden" (Guardião do Sistema Solar) do programa secreto *20 and back* (vinte e volta).

Hoje em dia, tanto o SGS como o Quarto Reich possuem instalações por lá. Na verdade, a maioria das atividades no planeta vermelho são do complexo militar-industrial, ou seja, parcerias entre organizações privadas controladas pelas treze famílias que dominam a Terra em nossa dimensão e o Governo Secreto.

A maioria dos trabalhadores dessas instalações são humanos que foram recrutados na Terra para irem para lá, com a promessa de que nosso planeta iria entrar em extinção e eles estariam garantindo a sobrevivência da espécie. Laura Eisenhower, bisneta do ex-presidente americano Dwight Eisenhower e quem também assina o prefácio do meu segundo livro "IntervençãoPlanetária", conta sua experiência abertamente de quando foi convidada para o programa "Marte" e recusou.

Infelizmente, as pessoas que foram para Marte com essa promessa vivem em condições precárias, similares a escravos e trabalham sem parar. Lá também é usado como posto de troca entre o SGS e seus aliados. Entre os materiais de troca, pois dinheiro não tem valia alguma no universo, estão humanos (para extração de DNA e para trabalho escravo), pedras e materiais preciosos, amostras de plantas, animais, sementes, etc.

PROJETO *BLUE BOOK*

O *Project Blue Book* ou "Projeto Livro Azul", numa tradução livre do inglês, foi um projeto oficial do governo norte-americano de investigações de Objetos Voadores Não Identificados - OVNIS iniciado na década de 1940.

Tudo começou em 1947 quando o então tenente-general Nathan Twining, comandante da Força Aérea Americana, enviou um memorando secreto sobre "Discos Voadores" ao general comandante das Forças Aéreas do Exército no Pentágono - quartel general militar dos Estados Unidos.

Twining afirmou que "o fenômeno relatado é algo real e não é visionário ou fictício". Os objetos silenciosos, semelhantes a discos, demonstravam "taxas extremas de subida, manobrabilidade (principalmente em espiral) e movimento que deve ser considerado evasivo quando avistado ou contatado por alguém, aeronaves e radares amigáveis ".

Um novo projeto, com o codinome "Sign", baseado em Wright Field (agora Base da Força Aérea Wright-Patterson) nos arredores de Dayton, Ohio, EUA, recebeu o mandato de coletar informações dos OVNIS, relatar e avaliar se o fenômeno era uma ameaça à segurança nacional.

Com a Rússia descartada como fonte, os funcionários escreveram um relatório estimativo ultrassecreto da situação, concluindo que, com base nas evidências, os OVNIS provavelmente tinham uma origem interplanetária.

De acordo com oficiais do governo na época, a estimativa foi rejeitada pelo general Hoyt Vandenberg, então chefe de gabinete da Força Aérea Americana. A partir de então, os defensores da hipótese da existência de vida extraterrestre perderam terreno, com Vandenberg e outros insistindo na descoberta de explicações convencionais e científicas para todo avistamento, inclusive contatos e eliminação de destroços em alguns casos.

Esse projeto veio à tona com os documentos revelados no programa de desclassificação americano, onde todos os documentos classificados com a idade de cinquenta anos devem ser expostos ao público para consulta. Isso não quer dizer que tem que ser capa de jornal.

Hoje, esse projeto virou inclusive uma série de sucesso no canal *History* com o ator Aidan Gillen (Game of Thrones) com o papel principal. Mal ou bem, é a informação atingindo o inconsciente coletivo.

PROJETO *BLUE BEAM*

Outro projeto "azulado", chamado *Project Blue Beam* ou "Projeto do Raio Azul" numa tradução livre do inglês, é uma iniciativa ainda não revelada oficialmente por nenhum governo ou órgão oficial.

Ainda tratado como "teoria da conspiração", trata-se do uso de tecnologia holográfica avançada para projetar imagens reais nos céus de qualquer parte do planeta, em qualquer tamanho, cor e formato, usando satélites militares estrategicamente posicionados e alinhados com antenas na Terra.

Essas imagens podem ser de OVNIS, meteoritos, aviões de guerra ou qualquer coisa que desejarem – até de pessoas. Os "teóricos da conspiração" falam em duas principais possibilidades.

A primeira diz que será feita a simulação de uma invasão alienígena, onde o *Blue Beam* projetará holograficamente naves extraterrestres nos céus de todo mundo, que serão acompanhadas por naves reais do Governo Secreto. Assim, será feita a simulação de uma invasão e combate por parte das Forças Espaciais (já implementadas e fundadas oficialmente pelo governo americano em 2019).

Essa ação teria o objetivo de servir como motivo para que se instale uma força armada global e um governo único planetário, visando combater a "ameaça que vem de fora". Assim, o caminho estaria aberto para a criação de uma Nova Ordem Mundial, com o apoio de toda a população e de todos os governos do planeta.

FIGURA 45: Michael Jackson volta aos palcos após sua morte como um holograma. Fonte: Revista TecMundo.

A segunda e mais ousada hipótese diz que o Governo Secreto projetará imagens holográficas de líderes religiosos por todo o planeta, de acordo com a religião local, simulando sua "volta" e fazendo com que a humanidade se renda pelo caminho da religião. O intuito seria o controle pelo medo e pela religião, o oposto do que foi proposto acima na NOM (controle pela disciplina e razão).

Os pesquisadores que não aceitam a existência desse projeto dizem que a ideia veio de um episódio de Star Trek (Guerra nas Estrelas de 1991), onde projetam imagens holográficas sob um planeta na trama.

PROJETO *LOOKING GLASS*

Um dos projetos mais polêmicos revelados chama-se *Project Looking Glass* ou "Projeto de ver pelo Vidro", numa tradução livre do inglês, que seria uma tecnologia do Governo Secreto onde uma versão mais moderna, leve e transparente de um *tablet* serviria como um meio de saber o futuro.

Provavelmente a primeira vez que ouvimos falar desse projeto foi com Bob Lazar, cientista que trabalhou durante diversos anos no Governo Secreto sendo o responsável pela revelação da Área 51 para o mundo nos anos 80, quando ele mencionou o projeto como uma forma de usar distorções no espaço-tempo para olhar as probabilidades de futuro numa determinada linha de tempo, de acordo com os acontecimentos presentes. Ele diz que leu relatórios a respeito e recebeu diversos *briefings* sobre o assunto enquanto trabalhava por lá.

Mas há notícias de que em 1964 um informante militar de nome George Van Tassel falou a uma rede de televisão local nos Estados Unidos que a marinha americana já tinha essa tecnologia na época. A mesma do Projeto *Looking* Glass revelado por Lazar anos depois.

Mais recentemente, Corey Goode falou que teve contato com essa tecnologia e chegou a usar o *tablet* para receber informações enquanto trabalhava no programa Vinte e Volta no Serviço Espacial Secreto.

Basicamente o que esse projeto faz é conseguir informações com tecnologia sem a necessidade de ter um intermediário – como um sensitivo ou médium – para que isso seja feito como no Projeto Montauk, que vamos ver agora, mas obviamente sem abrir portais externos.

PROJETO MONTAUK

O Projeto Montauk foi executado de 1971 a 1983 na Estação Aérea de Montauk, Long Island, Nova York, EUA e envolveu muitos seres humanos em experiências militares bizarras. Algumas dessas experiências envolviam seres humanos sendo treinados para usar tecnologia extraterrestre, como uma cadeira que aprimorava significativamente as habilidades psíquicas para que alguém pudesse fazer coisas extraordinárias, como distorcer o tempo para olhar o passado ou o futuro.

O Dr. Michael Salla, um dos maiores estudiosos de exopolítica no mundo, publicou em seu *website* em 13/11/2019 um artigo sobre o projeto, descrevendo como teria sido a experiência de Duncan Cameron, um sensitivo que trabalhava no projeto.

> *Duncan começaria sentado na cadeira, depois o transmissor seria ligado. Sua mente ficaria em branco e clara. Ele seria instruído a se concentrar em uma abertura no tempo, por exemplo, de 1980 (na época atual) a 1990. Nesse ponto, um 'buraco' ou portal de tempo apareceria bem no centro da antena Delta T – você poderia percorrer o portal de 1980 a 1990. Havia uma abertura em que você podia olhar. Parecia um corredor circular com uma luz na outra extremidade. A porta do tempo permaneceria enquanto Duncan se concentrasse em 1990 e 1980.*

Basicamente, sensitivos (ou médiuns) eram colocados nessas cadeiras especiais com tecnologia extraterrestre e eles conseguiam de alguma forma ampliar suas faculdades mentais, fazendo-os ver o futuro e conseguir inteligência militar e segredos para o Governo Americano, através da abertura de portais de espaço-tempo. Dizem, inclusive, que oficiais passavam por esses portais e voltavam com informações e algumas vezes até artefatos inteiros.

ENGENHARIA DO CONSENTIMENTO

Para entender o que é a "engenharia do consentimento", vamos primeiro ver a declaração de Edward Bernays (tirada de seu livro "Propaganda" de 1928), o pai da propaganda moderna, judeu e um dos homens mais influentes do mundo no século XX.

> *"A consciente e inteligente manipulação dos hábitos organizados e opiniões das massas é um importante elemento na sociedade democrática. Aqueles que manipulam este despercebido mecanismo da sociedade constituem um governo invisível que é o verdadeiro poder regulador de nosso país... Nós somos governados, nossas mentes são moldadas, nossos gostos formados, nossas ideias sugestionadas, largamente por homens de quem nunca ouvimos falar. Isso é um resultado lógico do caminho em que nossa sociedade democrática é organizada. Vasto número de seres humanos devem cooperar desta maneira se eles têm que viver juntos como uma sociedade que funciona sem dificuldades... Em quase todo ato de nossas vidas diárias, tanto na esfera da política ou dos negócios, em nossa conduta social ou em nosso pensamento ético, nós somos dominados por um número relativamente pequeno de pessoas...que entendem o padrão de processo mental e*

social das massas. São eles que puxam os fios que controlam a mente do público."

Acredito que esse texto seja autoexplicativo. O que Bernays comenta é o resultado da aplicação das teorias e técnicas da psicanálise - principalmente de Sigmund Freud - começando nas propagandas durante a Primeira Guerra Mundial, depois implantadanas campanhas de políticos em processos eleitorais, seguido por propagandas de grandes corporações na mídia.

Devo mencionar aqui que Bernays foi sobrinho de 2° grau de Freud.

A base da técnica utilizada era fazer com que as massas abandonassem sua agressividade primária e inerente do ser humano, fazendo-as perseguirem ideias socialmente desejáveis (ex: o "sonho americano"), através de um governo instituído que fosse sintonizado e realizador dessas necessidades de consumo e felicidade. O provedor.

Esse "governo" então livraria as pessoas de suas frustrações diárias, controlando seus desejos "irracionais" e "primitivos", formando uma ideia de bem-estar e prazer geral. Uma utopia de liberdade no capitalismo.

O que está por trás disso é basicamente todas aquelas técnicas de distração e manipulação que estudamos no livro *A Resposta Para Tudo*, com o fim de criar necessidades, distrações e soluções para problemas inexistentes, que venham ao encontro do objetivo final dessa minoria.

COMO IDENTIFICAR UMA *FAKE NEWS*

O termo *fake news* - notícia falsa numa tradução livre do inglês - foi popularizada principalmente depois da eleição do presidente americano Donald Trump em 2016, quando o então candidato se referia a notícias suas no mundo como falsas. O termo começou a ser usado no mundo todo e também no Brasil, não só pelas mídias sociais, mas pela tradicional também.

Nós já sabemos que notícias são implantadas por diversos fins. Elas podem ser falsas, levando a opinião pública para um lado ou para outro conforme a vontade de quem a faz. Podem ser manipuladas onde a verdade tem uma ótica particular de acordo com quem está escrevendo ou dando a notícia e também pode ser verdadeira, mas usada como distração (*false flags*).

As distrações podem ser espontâneas ou plantadas. As espontâneas são as notícias que realmente acontecem naturalmente e tornam-se foco da mídia, um escândalo de celebridade, por exemplo. As plantadas são as propositalmente causadas para serem notícia, como alguns atentados terroristas que vemos por aí.

De qualquer forma, é extremamente difícil para o cidadão comum sem o treinamento necessário, perceber a diferença entre algo real ou manipulado. Por isso, recorremos a profissionais como John Desouza, um ex-agente do FBI (polícia federal americana) que passou mais de vinte e cinco anos na organização como investigador (inclusive envolvido no evento de 11 de setembro) e também autor de três livros, com acessos a informações e documentos classificados.

John desenvolveu um método simples, mas eficaz e adaptado do método do FBI de investigação, para que o cidadão comum consiga perceber quando está sendo manipulado.

Devo acrescentar que quando digo "cidadão comum", falo da nossa "comunidade" dos seres em processo do Despertar, pois para que uma pessoa "comum" mesmo perceba que há algo de errado com o mundo, ainda vai um tempo.

Para isso, também temos que parar com a mania de deixar de ler notícias e estar a par do que acontece no mundo para não "baixar a frequência". Na verdade, tomando essa atitude, nos tornamos alienados, o que no fim também favorece o Governo Secreto. O que temos que fazer é aprender a estar a par do que acontece no mundo, mas sem o envolvimento emocional. Aí é que está a chave. Ver as notícias, saber do que se passa no mundo, mas sem se emocionar. Vendo as coisas com distância e sabendo que tudo isso faz parte da manobra do SGS para baixar a frequência. Isso também vale para filmes, séries e tudo mais do entretenimento.

Vamos então analisar o que John propõe.

Primeiro ele vem com uma definição do que é ou não evidência numa investigação, que é muito interessante. Ele diz que evidência é tudo que pode contribuir para a construção de uma solução do caso, seja isso físico ou não físico.

Já está aí a primeira dificuldade de um investigador "comum", que só aceita "provas" físicas. O problema é que muitas vezes as evidências são mais sutis, mas não menos importantes e são ignoradas, resultando em casos sem solução oficial. No nosso caso, nós podemos então contar com fenômenos paranormais e informações metafísicas comprovadas de alguma forma aceitável (o que varia na percepção de cada um muitas vezes) para a solução de casos e análise de notícias.

Sendo assim, John define uma investigação de verdade como "um sistema de questionamento investigatório que utiliza métodos científicos racionais", mas que quando esses se esgotam, passam a utilizar "habilidades paranormais intuitivas para resolver crimes e mistérios". Adicionamos aqui também a investigação da veracidade de uma notícia.

FIGURA 46: John Desouza e Fabio SantoS.

John sugere que utilizemos métodos investigativos para analisar as notícias, portanto, precisamos pesquisar e estudar sobre os assuntos. Sem conhecimento, somos facilmente enganados.

O primeiro passo é uma investigação preliminar. Aquilo faz sentido? Já aconteceu antes? Como? Quando? O segundo passo é o acompanhamento, onde você confirma o noticiado com o que realmente aconteceu seguido das primeiras conclusões do caso com uma classificação do acontecido (ex: foi um assassinato ou um suicídio?). O último passo dessa fase é a "construção de um caso" onde reunimos toda a informação que temos – de nosso conhecimento e a pesquisada, construindo um panorama provável do acontecimento relatado, eliminando especulações o máximo possível.

É importante mencionar nesse momento que, já que na maioria das vezes não temos a oportunidade de ir até o local da notícia relatada, temos que fazer o levantamento das informações à distância. Para isso, é fundamental termos o maior número de fontes possíveis, inclusive de outros países, culturas, línguas e pontos de vista.

Uma das maiores dificuldades numa investigação de fatos é também saber o que é verdade e o que é falso. Muitas das vezes as melhores informações vêm de pessoas - os chamados *whistleblowers* - as quais nem sempre apresentam provas fáceis de serem comprovadas. Não é fácil, por exemplo, comprovar fisicamente o que Corey Goode ou David Wilcock dizem muitas vezes.

John também nos diz que não devemos confiar nas informações vindas de governos ou agências como a CIA ou de políticos, como secretários de estado. Essas informações são sempre manipuladas e tendenciosas.

Como as informações dessas pessoas (*whistleblowers*) são únicas e podem ser muito valiosas, precisamos nos preparar para checá-las também, começando com uma investigação básica de quem são essas pessoas, o que fizeram na vida, etc. São informações simples que podem indicar alguma motivação aparente para que essas pessoas estejam falando sobre um determinado assunto.

Basicamente, o devemos verificar ao analisar o indivíduo será: tentar determinar o motivo para que essa pessoa esteja falando o que está e como ela tem acesso a essa informação, relações pessoais e profissionais e se suas credenciais são reais. Além disso, uma breve análise mais pessoal (*persona*): essa pessoa é estável, confiável, consistente? Já cometeu algum crime (qualquer que seja - até cheque sem fundo)? Nesse último quesito procuramos por falhas na honestidade. Há violações que são irrelevantes também, como multas de trânsito.

Agora, analisando a informação dada: qual a credibilidade do material? Quão fácil é de acreditar? Qual a fonte (documentos, depoimentos...)? Devemos fazer uma pesquisa para determinar outras fontes, métodos, para identificar se a informação é única, complementar ou igual ao que já foi dito. Nesse quesito, podemos ter provas da sua veracidade ou não já investigadas previamente por fontes externas confiáveis e/ou por nós mesmos em outros tempos.

John ainda sugere que passemos por um processo de resistir às respostas fáceis, dispensar as narrativas oficiais (incluso governos e agências) e desconstruir a história apresentada pela notícia, através de análise e contraponto de todos os dados apresentados.

Parece complicado, mas depois que começamos a colocar tudo isso em prática, as investigações, fontes e conclusões começam a vir de várias fontes semelhantes e passamos a resolver esses "casos" cada vez mais rápido.

Vou tentar facilitar o método.

Normalmente uma notícia plantada ou falsa tem suas camadas. A primeira é a história que contam, a que querem que saibamos. Aquela que temos quando lemos a notícia e não vamos adiante.

Utilizando o mesmo exemplo que John deu em sua apresentação no evento *Dimensions of Disclosure* nos EUA em 2019, vamos analisar os candidatos do partido Democrata às eleições dos EUA. Seguiremos nessa análise sem conotação alguma política ou posição em nenhuma eleição.

Sendo assim, aparentemente, é uma lista de pessoas normais, competentes e com experiência política. São candidatos com o desejo real de serem presidentes dos Estados Unidos e realmente tem chances para tal, podendo ganhar a nomeação do partido.

Se pararmos por aí, compramos a ideia, mas seguimos com a observação como verdadeiros investigadores.

Reparamos que milhares de *websites*, jornais, revistas, programas de televisão, não somente em nosso país como muitas vezes no mundo todo, estão repetindo exatamente a mesma história do mesmo jeito. No caso do exemplo utilizado, eles passam a falar bem dos candidatos, reforçando a mensagem original acima, inclusive citando o atual vice-presidente (do mesmo partido) como "não elegível".

Checando os fatos, analisamos que é a primeira vez na história de uma eleição nos Estados Unidos em que o então presidente (Obama) não endossa a candidatura de seu próprio vice-presidente (Joe Biden) nas eleições.

O curioso é que nenhum veículo de comunicação menciona, questiona ou comenta esse fato. Não pode ser por incompetência, pois se trata de um vice-presidente ou inexperiência. A primeira conclusão que temos é que o então presidente Obama está guardando seu apoio para outra pessoa no futuro.

A conclusão de John é que Obama e o partido democrático nos EUA estão traçando uma estratégia para que sua esposa, Michelle Obama, se apresente como uma candidata para uma eleição futura de presidente dos Estados Unidos (provavelmente 2024 ou 2028).

Esse é somente um exemplo simples do método investigativo que propõe John Desouza. Se a Michelle vai ou não ser candidata, não sabemos ainda em 2020, pois certamente depende de muitos fatores ainda a acontecer no mundo, mas o método que John utiliza, para investigar notícias e movimentos da mídia, é muito eficaz e aplicável em nosso dia a dia.

Para quem consegue ler em inglês, não deixe de verificar os livros de John Desouza no fim deste livro.

Talvez essa seja o maior ponto de controle e ao mesmo tempo a maior saída do SGS sob a humanidade. Aprender a dominar a energia do dinheiro é crucial para o Despertar. Afinal, como despertar com dívidas e preocupações materiais?

A ideia de que ter dinheiro é "pecado" e que quem é rico "não entra no reino dos céus" vem, "pasmem", da Bíblia. Sim, aquele livro que foi mal traduzido, editado centenas de vezes e montado somente com os textos e livros que convinham para uma minoria e hoje é interpretado da forma que essa mesma minoria quer.

No livro de Timóteo, o qual basicamente foi retirado das cartas de Paulo, diz que o "dinheiro é a raiz de todos os problemas". Bom, dessa vez não vou discutir traduções, interpretações e modificações nos textos para mostrar que essa frase não tem nem "pé nem cabeça". Vou apenas publicar uma frase que está também em Timóteo, na Bíblia aí que vocês têm em casa. Podem procurar e vocês julguem por si só se devemos aceitar tudo que está lá, ao "pé da letra":

1 Timóteo 2:12: "*Não permito, porém, que a mulher ensine, nem use de autoridade sobre o marido, mas que esteja em silêncio*".

Olha só: além do dinheiro, esse mesmo livro consegue denegrir as mulheres e também dizer que sexo é pecado. Numa tacada só domina a energia da abundância, da criação e o Sagrado Feminino. É de se pensar, não?

Obviamente que as cartas de Paulo foram deturpadas e os livros da Bíblia modificados para servir ao Cristianismo segundo o Império Romano, esse que temos até hoje, que difere e muito do original.

Portanto, nós crescemos ouvindo todas essas besteiras e enraizamos isso em nossa mente e, consequentemente, em nosso DNA como vimos em capítulos anteriores, passando esse comportamento de geração e geração e sendo reforçados com a cultura, o sistema financeiro e nossa educação. Não é fácil.

Assim também, surge o famoso mito que espiritualidade e dinheiro não combinam ou o "dai de graça o que recebestes de graça". Alguém aí recebeu alguma coisa de graça? Porque eu não, eu paguei meus cursos, livros, viagens, iniciações... alias, já nasci pagando a maternidade e não tenho problema nenhum com isso. Foi uma troca energética.

Já perceberam que essa tentativa de desatrelar a espiritualidade com a energia do dinheiro só serve para que esse movimento do Despertar se restrinja a poucos e não ganhe força? Claro, porque sem dinheiro não há conteúdo de qualidade, não há divulgação, não há como atingir as massas.

Para sairmos definitivamente dessa, temos que fazer uma limpeza em nosso consciente, subconsciente, DNA físico e cósmico e dominar por completo essa energia tão necessária nesse local do espaço-tempo.

Dinheiro, na verdade, nada mais é do que a energia da abundância universal materializada aqui na Terra, nesse local do espaço-tempo multidimensional. Já que gostam tanto da Bíblia, porque não citar Jesus quando nos diz em João 10:10 que viemos aqui "para viver em abundância". Ele não disse que viemos aqui para sofrer e sermos pobres. Disse VIVER EM ABUNDÂNCIA. Mas por que somente o discurso anterior dos "pobres" é que pega?

Sendo assim, temos que aceitar a abundância que vem do universo e cocriar a nossa realidade, deixando essa energia fluir como qualquer outra que vem do cosmos: amor, aceitação, sabedoria, etc.

O Universo não entende e não fala a linguagem do dinheiro, dos números, das moedas e notas. Ele entende abundância. E ela é um conjunto de experiências e de emoções. Experenciar a abundância é uma troca de energia, uma troca de valores e o dinheiro, mais uma vez, é somente a materialização dessa energia no aqui, agora.

Pense nesse momento, por favor, o que você faria com 1 milhão de dólares? Reflita alguns minutos e seja sincero com você mesmo.

Você pode fazer o que quiser com esse dinheiro. Você pode usá-lo da forma que bem entender. Assim, essa energia é neutra. Ela não é boa, nem ruim. O bom ou ruim está no uso que fazem dela, portanto não generalizemos de que "dinheiro é ruim" ou "todo rico é ruim". Você pode fazer o que é bom, muito bom, para toda a humanidade com essa energia. Esse milhão de dólares pode servir para começar um negócio de tráfico de drogas ou para despertar a consciência da humanidade. É o mesmo dinheiro, é a mesma energia que foi colocada em prática por quem a tem.

Depende também do valor que você dá a essa energia, onde a coloca e como gasta seu tempo. Na figura a seguir temos um exemplo de preços e valores bem interessante.

O que é caro ou barato é muito relativo, mas uma coisa é certa: quanto mais caro, mais nosso cérebro dá valor. Tem um experimento que foi realizado com degustação de vinho onde foram colocadas garrafas de diversos valores e procedências para serem experimentadas. Todos, sem exceção, deram a maior nota para o vinho mais caro e a menor nota para o vinho mais barato, sem saber que todos os vinhos eram iguais. Foram, inclusive, detectados aumentos nas sensações de prazer e recompensa nos cérebros dos experimentados quando degustavam os vinhos supostamente mais caros. Nós somos programados para isso.

Por isso, que é muito complicado dar as coisas "de graça" para as pessoas, porque conscientemente ou não, tendemos a não dar valor. Livros que são dados e cursos de graça raramente são aproveitados, pois não possuem essa energia de troca, não há valor percebido pelo nosso cérebro.

SOBRE **HÁBITOS**
E **PRIORIDADES**

Academia	R$ 60,00	CARO
Pizza	R$ 60,00	BARATO
Terapia	R$ 100,00	CARO
Vodka	R$ 100,00	BARATO
Reequilibrar as energias	R$ 200,00	CARO
Balada open bar	R$ 200,00	BARATO
Cursos	R$ 5.000,00	CARO
Iphone última geração	R$ 5.000,00	BARATO

60 minutos de esporte	NÃO DÁ TEMPO
60 minutos de leitura	DEUS ME LIVRE
60 minutos de celular	AINDA É POUCO

FIGURA 47: preços e valores.

Também somos programados ao julgar algo como negativo se não temos condições de experenciar e também, de fazer o mesmo julgamento quando temos muito dinheiro, mas a experiência não tem uma alta energia de troca (dinheiro).

Por exemplo, alguém que não possa viajar num cruzeiro de luxo, pelas ilhas gregas, irá falar que isso é uma bobagem, que iria enjoar no navio e que nada lá deve ser legal, pois é tudo uma "frescurada". Legal mesmo é acampar no meio da Natureza sem nenhuma estrutura. Já o abastado, vai dizer que acampar é a maior "furada", cheio de mosquitos, não tem banheiro, banho quente, uma tortura e que legal mesmo é o cruzeiro, pois você tem o contato com a Natureza no alto mar e ainda todo o conforto que merece a bordo.

Vejam como o ser humano é complicado. Nenhum dos dois casos está fazendo bom uso da energia da abundância. A primeira coisa que temos que fazer é aceitar e reconhecer as limitações atuais que temos e sermos felizes com aquilo. Tristeza, inveja e rancor junto com os demais sentimentos que baixam a nossa vibração, só vão dizer ao universo que você não quer aquela abundância, que aquilo não serve para você. O primeiro passo é aceitar o que dá pra experimentar e ser feliz, muito feliz com isso.

O segundo passo é se livrar do pensamento que você não pode ter ou experenciar isso ou aquilo. Você pode tudo o que quiser de verdade! Todas as suas limitações são impostas por você mesmo.

"Ah, Fabio, então eu quero morar numa mansão em frente para mar numa ilha Grega agora mesmo. Pronto, funcionou?". Daí eu pergunto: você realmente acredita nisso com todas as forças de sua emoção, ressoando em todas as células do seu corpo ou está falando isso para tirar sarro e acredita mesmo é que NUNCA vai ter essa condição?

Essa é a diferença de quem cocria abundância e de quem não cocria. Livrar-se do "eu nunca" e do "eu não posso" e substituir pelo "eu posso tudo o que eu quiser". Mas sabendo que o dinheiro não é o objetivo. O universo não entende a linguagem do dinheiro, mas sim, da abundância. Então, devemos acreditar nela. Devemos acreditar e cocriar as experiências, não o aumento de números e "zeros" na conta bancária.

Mude sua mente aos poucos para você conseguir trabalhar, o mais próximo possível, com o que você ama. Se isso vai te dar abundância ou não, depende do tanto que você acredita e cocria. Sem pressa. Um passo de cada vez. O universo não materializa automaticamente seus bens materiais desejados, mas sim, cria condições na sua vida para que você atinja as suas cocriações no tempo dele, não no nosso.

Nós possuímos todo o potencial do Universo em nosso poder de cocriação. Temos que entender que EU POSSO porque EU SOU UNO com a Fonte. EU SOU a Fonte. E a Fonte pode tudo.

Capítulo 9

AS RELIGIÕES E OS BLOQUEIOS IMPOSTOS

"É necessário que um homem sofra de tempos em tempos. A fonte da maioria das doenças está no espírito. Portanto, o espírito pode curar quase todas as doenças."

Nikola Tesla

Antes de mais nada, eu gostaria de deixar bem claro que o intuito deste capítulo não é ofender nenhuma religião ou criticar nenhuma prática. Somos todos livres para acreditar e praticar o que bem entendemos e continuo respeitando toda crença, credo e linha de pensamento. Mas não sou obrigado a concordar. Discordo, com muito respeito sempre.

Também devo mencionar que na maioria esmagadora das vezes as pessoas que seguem as religiões não são culpadas. Estão apenas respondendo aquilo que foram ensinadas. Nãosão elas que manipulam outras pessoas, e sim, infelizmente, são usadas - sem querer e sem saber - como ferramentas de manipulação.

O terceiro e último ponto é que uma religião por ser uma ferramenta de manipulação - maior ou menor - não quer dizer que ela não tenha aspectos positivos. Todas têm! Inclusive podemos nos aproveitar da melhor parte de cada uma, como por exemplo, dos conhecimentos da manipulação da energia na Natureza e Geometria Sagrada para trabalhos apométricos, de limpeza e quebra de contratos no Candomblé e na Umbanda. Mas para isso temos que entender do assunto.

Desde os primórdios da humanidade, as religiões terrestres servem de ferramenta de manipulação de massa. A palavra por si só vem do latim *Religio* que significa "respeito pelo sagrado". Também há quem diga que venha de *Religare*, que significa atar ou ligar com firmeza e o prefixo "re" está ali para reforçar a ideia do *ligare* (que também pode ser traduzido como "atender um chamado").

De qualquer forma, a palavra religião hoje em dia serve como símbolo de uma religação ou uma reconexão com "Deus". Vamos refletir juntos. Se somos fractais da Fonte, somos a Fonte e se somos a Fonte como perdemos a ligação conosco mesmo para precisar religar ou reconectar?

Outro ponto preocupante diz que é somente através da religião que nos reconectamos a "Deus". Além do argumento acima exposto, eu lhes pergunto: precisamos de um intermediário para falar com Deus (Fonte)? A própria ideia de religião como intermediário, meio ou único caminho já me incomoda profundamente. A coisa piora quando percebemos que religião é algo criado pelo homem, para o homem.

A maioria das religiões nos traz o conceito de que não somos nada, não valemos nada. Somos pecadores (para algumas, já nascemos assim). Por isso não temos o "direito" de nos comunicar com "Deus" diretamente, precisando de intermediários. Não somos dignos.

Outras reflexões: quem disse que a pessoa que está na igreja, no templo, na Sinagoga ou aonde quer que esteja, é mais digna do que eu? Quem "elegeu" esse representante?

Na própria Bíblia, no livro de Salmos no capítulo 82, versículo 6 diz: "*Eu disse: Vós sois deuses, e todos vós filhos do Altíssimo*".

Se SOU um deus, por que preciso de intermediários? Se SOU filho do *Altíssimo*, por que não posso falar diretamente com meu *pai*? Essa conta não fecha. Só vai fazer sentido quando começarmos a olhar as religiões como ferramentas de manobra de massa.

Como vimos a pouco, os seres humanos têm o DNA divino, físico e cósmico de conexão direta com a Fonte. Além disso, já vimos no livro *A Resposta Para Tudo* que saímos da Fonte como vibração e "descemos" frequencialmente como consciências fractais do Todo. Portanto somos o Todo, ou para melhor entender, temos a "centelha divina" em todos nós. Não precisamos de nada externo pois temos todos os universos dentro de cada um de nós.

Infelizmente, TODA religião na Terra serve como ferramenta de controle. Umas mais, outras menos. Não quer dizer que na sua criação já tenha tido esse objetivo. Existem alguns casos que realmente a intenção foi perfeita, mas a execução foi deturpada com o tempo.

A próxima imagem ilustra melhor o que digo. Nela temos algumas das principais religiões no mundo, pois o total passa de dez mil, e o seu grau de desinformação. A pílula da desinformação é formada por uma porcentagem de informação boa, para atrair e reter fiéis, e uma parte de informação ruim, que visa atingir o objetivo final de controle. Essa pílula como um todo na verdade é um "Cavalo de Troia" querendo inserir conceitos controladores, manipuladores ou devocionais.

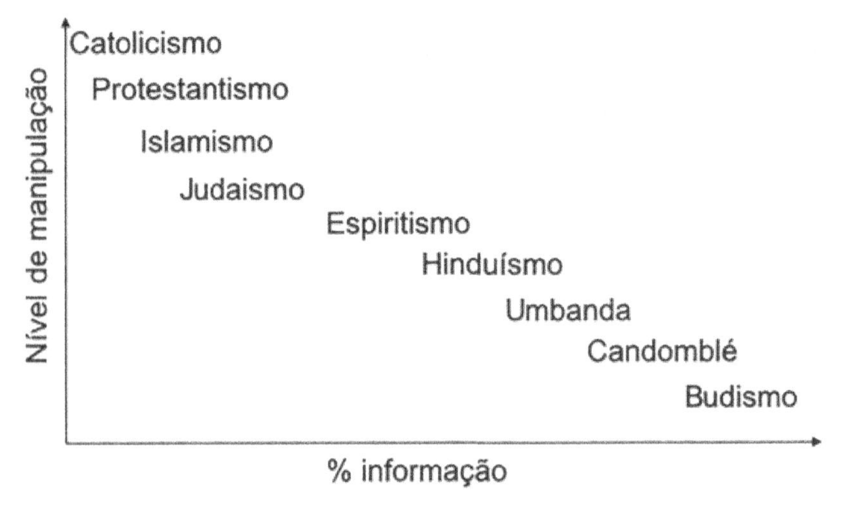

FIGURA 48: relação do nível de manipulação com a porcentagem de informação em cada religião.

Muitas vezes, também, o problema não está na religião em si, mas sim nas pessoas que as conduzem. O líder passa a colocar seu ego em primeiro lugar ou então aquela comunidade recusa avançar no tempo frente ao inevitável progresso da sociedade, parando no tempo.

Vamos mencionar alguns exemplos.

Catolicismo

Das religiões mais populares, nenhuma tem maior grau de manipulação e menor grau de informação real do que o catolicismo. Sua doutrina é baseada no medo (de Deus, do Diabo, do inferno), no pecado original e no voto de pobreza. Ainda aboliu o conceito de reencarnação (o qual aceitava em sua criação). Proíbe veemente o contato com "espíritos" ou qualquer ação metafísica. É o esforço máximo para que fiquemos na Terra, fechados, vibrando o medo e a devoção eternamente.

Além de todos os problemas de sua filosofia, desde sua criação, foi uma das religiões que mais sofreu com a manipulação do homem pelo seu ego e pela deturpação dos ensinamentos originais. A maior prova disso foi a chamada "Santa Inquisição" na qual a Igreja perseguiu, torturou e matou milhões de consciências, que quando encarnadas, apresentaram alguma capacidade de comunicação ou interação com o mundo astral.

Sua sede, o Vaticano, também é a sede espiritual do Governo Secreto (SGS). Sendo assim, sua cidade-estado através de seu banco oficial e suas empresas (também como acionista) por todo o mundo, entre elas Alitalia, New York Times Grupo FIAT, General Eltric e muitos bancos (Rostchild Bank, por exemplo), servem de braços para o SGS governar.

No meu humilde ponto de vista, o que o Catolicismo traz de positivo para a humanidade atual é o fato de poder ser a porta de entrada para consciências que estejam perdidas nessa encarnação e que realmente precisam de disciplina e algo para acreditar. Quando tem esse propósito temporário de resgate de almas, o Catolicismo pode ser de grande serventia.

Protestantismo

Apesar de sua extrema semelhança com o Catolicismo, o Protestantismo tem algumas diferenças importantes que o deixa num nível "menos pior" de manipulação, mas ainda num nível inaceitável.

Dentre essas diferenças está o fato deles não cultuarem imagens, algo bem comum na anterior. Além disso, seu líder - o "pastor" - está livre para casar e constituir família, algo que o padre ou qualquer outro líder em qualquer nível da igreja católica não está autorizado (voto de celibato).

De resto seguimos com a mesma técnica de dominação pelo medo de diversas formas. Seus cultos são mais informais que os Católicos, mas num nível de adoração talvez até maior.

Islamismo

A primeira religião não cristã da lista tem seu livro básico, o Alcorão, o qual se acredita ser a palavra literal de Deus (Ala), a qual seja a única não alterada no planeta, baseada no profeta Maomé. Eles acreditam que Ala é único e incomparável e que o objetivo da vida de cada ser humano é adorá-lo até a morte.

Sua prática e suas leis são bem estritas, abordando temas como banco, educação e família. É muito baseada em rituais que reforçam o conceito de adoração e obediência, principalmente – levemente se afastando do medo como nas duas anteriores.

Possui cinco pilares: a **Fé** – rezar e aceitar o credo, a Oração, a qual deve ser feita cinco vezes ao dia com o fiel voltado para a direção da cidade de Meca; o **Jesum** – observando as obrigações do Ramada (o seu mês sagrado); a **Caridade** – dever de doar dinheiro aos necessitados e a Peregrinação – ir a **Meca** pelo menos uma vez na vida.

Existem diversos detalhes dessa religião, mas de uma forma geral ela é baseada na devoção e possui diversas leis e rituais que reforçam esse contexto. Por outro lado, nas suas escrituras é incentivado o amor, a caridade e o respeito ao próximo. Infelizmente, nessa religião há algumas vertentes que deturparam os ensinamentos originais e utilizam seus textos para fins que não sejam pacíficos.

Judaísmo

Tem como base o livro da Tora, basicamente o Velho Testamento da Bíblia ocidental. Foi a religião onde Jesus nasceu e foi criado. Tem como base a devoção a Deus, um pouco baseado no medo, mas o principal ponto dela é a noção de "exclusividade".

O Judaísmo mais tradicional não aceita convertidos. Para você ser considerado um deles, precisa nascer de uma mãe judia e passar por todos os rituais. Eles se autodeclaram o "povo escolhido" – já falamos os motivos no livro "A Resposta Para Tudo", quando mencionamos o povo que foi selecionado para servir os, então, chamados *Annunaki* em seus assentamentos.

Essa noção de exclusividade, a alta devoção reforçada com rituais e um pouco de política do medo a faz entrar nesse ranking. O que faz o Judaísmo não estar num posto mais alto de manipulação são seus estudos místicos como a Cabala, que revela informações importantíssimas para quem as estuda de verdade.

Espiritismo

Se você é ou foi Espírita provavelmente está torcendo o nariz por eu ter posto essa doutrina como religião. Pois é. O Espiritismo foi um movimento criado por um professor Francês com pseudônimo de Allan Kardec com o intuito de entender através de pesquisas cientificas e constatações empíricas, o mundo da metafísica.

Hoje, praticado quase que exclusivamente por Brasileiros, o Espiritismo que nasceu como filosofia e método de pesquisa foi transformado em religião. Com dogmas (ex: a reencarnação é uma benção), rituais, federações, dirigentes e todo tipo de controle para manter o poder e a informação na mão de poucos.

O próprio Kardec quando decodificou e compilou suas pesquisas e constatações através da publicação em cinco livros disse que, se em algum momento alguma ideia ou constatação científica se sobrepusesse a sua pesquisa, que então os Espíritas largassem seus estudos e seguissem a nova descoberta.

Infelizmente a informação parou no tempo devido ao homem. Hoje temos "fiéis" espíritas que se tornaram devocionais e adoradores.

O principal mérito do Espiritismo é de servir de porta de entrada para a Espiritualidade Independente. Basicamente, quase todos os pesquisadores independentes tiveram uma passada por lá ou em alguma das religiões que mencionaremos adiante. Para quem vem das religiões tradicionais ou mesmo quem não tem religião, o Espiritismo, principalmente nas informações de Kardec, é uma quebra de paradigma importante para lembrarmos quem somos. Mas, como toda religião, deve ser temporária.

Hinduísmo

Essa é uma religião que possui diversas vertentes e que é praticada basicamente, na Índia. Chamada de *Sanātana Dharma* por seus praticantes, o que significa "a eterna lei". De uma forma geral, ela engloba o Bramanismo com a crença da "alma universal".

Defende a ordem religiosa por castas. De acordo com o livro *História das Grandes Religiões* (Edward Jabra, 1907), "*o hinduísmo é um estado de espírito, uma atitude mental dentro de seu quadro peculiar, socialmente dividido, teologicamente sem crença, desprovido de veneração em conjunto e de formalidades eclesiásticas ou de congregação: e ainda substitui o nacionalismo*".

Tudo muito interessante, mas a divisão por castas não me cai bem. Não me soa justo. Soa-me como um aprisionamento perpétuo, contra as leis universais de liberdade, assim como descrito no capítulo anterior.

Umbanda

A Umbanda é uma religião brasileira com conceitos derivados da cultura africana e suas religiões, mesclada com a linha cristã de pensamento.

É uma religião nova no mundo, formada no começo do século XX no Rio de Janeiro, que crê em um Deus único, mas também em divindades ou Orixás, além dos guias espirituais, entidades espirituais diversas (como Exus, Boiadeiros, Pretos Velhos, etc.). Assim como o Espiritismo, também crê na reencarnação e na lei de causa e efeito. Outro ponto positivo é a introdução a Geometria Sagrada com os pontos riscados.

A grande vantagem da Umbanda é passar um conhecimento sobre a inteiração do homem com a Natureza e o uso do poder do planeta Terra para a cura e transmutação pessoal. Além disso, ela vai mais a fundo do que o Espiritismo no que tange o funcionamento do mundo espiritual, suas "hierarquias" e atuação no plano físico.

O ponto a ser observado, por outro lado, é a devoção que é forte não somente para com todas as entidades espirituais, mas como com o dirigente da casa de Umbanda - o pai de santo ou mãe de santo.

Candomblé

Aparentemente muito parecida com a Umbanda, o Candomblé também é uma religião brasileira derivada de religiões com raízes africanas. Seu funcionamento de uma forma geral é similar realmente, mas há algumas diferenças que a deixa um pouco acima da anterior no quesito informação.

Os "problemas" do Candomblé são muitos parecidos com os da Umbanda: energia de devoção, e não parceria, com as entidades espirituais e o excesso de hierarquia e também devoção com os humanos dirigentes, também chamados de pais, ou mães de santo. Também possuem rituais e dogmas - informações indiscutíveis.

Um outro ponto discutível são as informações restritas aos "iniciados" ou os "segredos do Candomblé". Digo discutíveis porque dá para entender realmente que algumas informações seriam muito perigosas na mão de qualquer pessoa que não estude a fundo essa religião. Portanto, deixo a cargo de vocês avaliar essa parte também.

O ponto mais polêmico dessa religião, talvez seja o sacrifício animal. Apesar de ter um fundamento para essa realização e eu diria até uma necessidade, em alguns casos de antigamente, no estágio em que estamos neste planeta e neste momento da história, posso assegurar que não precisamos mais da energia do sangue para resolver qualquer problema espiritual ou realizar negociações com entidades. As coisas mudaram na Terra, mas a religião continua presa às suas tradições (o que tem dois lados - proteção da cultura, mas a não adequação às novas realidades).

O Candomblé, por outro lado, consegue ir bem mais fundo que a Umbanda nos conceitos de inteiração com a Natureza, funcionamento do mundo espiritual - inclusive incluindo entidades extraterrestres no leque de "Orixás", transmitindo informações mais profundas sobre como nos interagimos com o planeta e o Cosmos.

Budismo

Criado por volta do século VI aC, o Budismo tem uma história interessante, pois assim como o Espiritismo, não veio ao mundo para ser religião. Ele tem seus fundamentos nos ensinamentos de Siddhartha Gautama, ou o Buddha - o verdadeiro e completo desperto.

O interessante do Budismo e o que o coloca aqui nessa lista na melhor posição quanto a informação dentre as religiões, é que ele é todo baseado no maior ensinamento universal: "não fazer ao próximo o que não gostaria para si próprio, tendo a lei de causa e efeito como carro chefe".

A religião é muito profunda, mas para destacar um ponto "negativo" para entender a classificação da mesma, é a crença no "Carma" - ou seja, boas ações geram boas encarnações e más ações geram más encarnações. Apesar de ter poucos dogmas, poucos rituais, comparada a outras religiões, e pouca energia de devoção, ela infelizmente ainda tem uma parte que nos faz ficar presos ao conceito de Samsara.

— • —

FIGURA 49: religião. Fonte: Wikipédia.

Quase todas as religiões mais populares no mundo, principalmente ocidental, têm a Bíblia ou parte dela como referência. Já discutimos muito sobre ela no *Resposta*, mas gostaria de acrescentar mais alguns fatos trazidos mais uma vez pelo italiano Mauro Biglino, um dos maiores estudiosos e tradutores originais de escritas antigas do mundo.

Biglino vem nos dizer que a Bíblia se ocupa em falar dos adamitas e não da humanidade. Conta-nos como eles foram "fabricados" e não criados. Biglino ainda nos esclarece que o verbo criar, com o sentido de "criar do nada" em hebraico não existe, assim como o termo *olam* que significa "eternidade", assim como o termo "onipotente" e diversos outros termos da tradução original.

Nem "Deus" está escrito. O termo que traduziram como Deus é *El* que seria, não se sabe ao certo, o singular de *elohim* que significa "deuses ou deusas", uma pluralidade de indivíduos, mas que também é traduzido como "Deus", no singular.

Mas, voltando aos adamitas, onde teria sido fabricado Adão? Sim, mais uma vez, o verbo utilizado é "fabricar". O local precisamente não sabemos, mas é relatado nas escrituras como sendo o paraíso "Gan Éden". Gan significa "jardim cercado e protegido" e Éden, seria um grande território que estaria localizado entre o mar Cáspio, e o leste da Turquia, onde temos hoje a Armênia, o Azerbaijão e parte do Noroeste do Irã.

FIGURA 50: localização provável do "Jardim do Éden" de Adão.

Lendo a Bíblia com atenção, e com referências originais, vemos que Elohim pegou Adão e o colocou no Éden, portanto, nem na Bíblia está escrito que ele foi criado no paraíso terrestre e sim, colocado lá vindo de outro local, para que trabalhasse e cuidasse do local.

Na Bíblia também foi descrito que aquele local produzia frutos comestíveis de alta qualidade, tinha água pura e uma rica vegetação e fauna. Certamente era um local que provinha de alimentação e água para seus trabalhadores, com diversos experimentos no reino vegetal e animal.

Esse Éden descrito pela Bíblia é somente um dos diversos lugares que existiam na época. Outro é descrito por Homero em sua obra intitulada "Odisseia" (livros VI ao VIII) conhecido por Jardim dos Feácios. Há ainda um outro Éden localizado entre a América Central e a América do Sul (provavelmente no norte da Colômbia) onde era produzido um organismo geneticamente modificado no qual chamamos de batata a qual em natural não é comestível, mas foi tornada como tal através de modificações em laboratório. Ela é apenas um de diversos exemplos de grãos (como o trigo) e vegetais considerados "impossíveis ao natural" e que quando estudados são considerados possíveis apenas através de modificações genéticas (como em diversos artigos da Revista italiana Ciência em 2014/2015).

Biglino nos chama a atenção para um desses experimentos no reino animal: a ovelha. Ele nos pergunta: quantos animais que conhecemos que têm seus pelos crescendo ao infinito? Existem, inclusive, diversos outros animais que vivem em clima frio que não possuem essa característica. Isso se deve ao fato do pelo do animal ter várias funções, colocando-o no "hall" de animais artificiais da Terra, ou seja, geneticamente modificados por um propósito. Assim como Adão.

Esse é o momento do experimento que utiliza a genética "Elohim" para ser introduzida, provavelmente, no Homo Erectus para a criação do Homo Sapiens, conforme falamos em capítulos anteriores.

Reparem que o homem é o animal mais inadaptado da face do planeta. Nós não somos adaptados a nada! Nem a qualquer clima, pois sempre precisamos de vestimenta, precisando sempre modificar o ambiente terrestre em que estamos. Não temos garras, nem presas, nem nenhum sentido altamente desenvolvido para a sobrevivência. Não somos ágeis como outros animais.

Mas temos algo em comum com a ovelha: o cabelo (bom, alguns de nóspelo menos) que cresce sem parar. Já se perguntaram para que o cabelo comprido serve? Imaginem um ser humano com um cabelo de 1.20m de comprimento vivendo numa floresta ou numa savana, o tanto de complicações que isso pode gerar. Somente o cabelo, com o resto do corpo descoberto. Imaginem a situação de fugir de um predador ou então ir atrás de uma caça nesse sentido.

O verdadeiro motivo para termos sido geneticamente criados para o crescimento infinito do cabelo é que isso dava prazer aos nossos criadores. Vejam que o apóstolo Paulo diz numa das epístolas aos Coríntios que as mulheres devem ter uma proteção na cabeça, não por respeito a Deus ou algo parecido, mas sim por causa dos "anjos".

O mesmo está escrito no Alcorão da religião muçulmana e em diversos outros textos antigos. No mundo hebraico se diz que "os cabelos são a nudez de uma mulher".

Entenderam agora por que as diferentes religiões pedem que as mulheres cubram seu cabelo em público? Elas só podem soltá-los diante do marido, irmão ou dos filhos e nunca diante de um estranho.

REVOGANDO CONTRATOS

O Sistema prisional da Terra está muito bem montado, seja aqui na superfície, seja no mundo intraterreno ou no astral, em todos os níveis e dimensões. Manda quem pode, obedece quem está na Matrix.

O problema é que não existe forma de encarnar na Terra sem fazer um contrato com os diretores da prisão. Não existe. Todos os Avatares da humanidade também o fizeram, sem exceção. A diferença está em quem consegue negociar um contrato melhor ou pior de acordo com o seu poder de persuasão, negociação e influência. Com isso em mente, fica claro porque o contrato de Buda é melhor que o meu.

Sendo assim, todos encarnamos desde a primeira vez com deveres e obrigações. Esses contratos abordam temas como dificuldades na vida, doenças, problemas familiares, financeiros, etc. Tudo o que você pode imaginar. Alie isso com o esquecimento de quem realmente somos quando encarnamos e temos a armadilha perfeita.

As dificuldades aumentam quando no momento do desencarne. Mesmo se estamos no caminho do Despertar, mas ainda não o fizemos na sua totalidade, ainda podemos ser enganados.

Um bom exemplo de enganação já nos primeiros instantes do desencarne é a manipulação da famosa "luz no fim do túnel". Essa luz é um processo natural do desencarne onde sua essência está finalmente sendo liberta e está expurgando todos os contratos, *imprints*, implantes e tudo mais de ruim que está nos seus corpos astrais, para finalmente voltar a pátria espiritual limpa e pura, assim como era antes de entrar.

Mas nesse momento, todos os agentes "Smith" da Matrix estão te esperando do outro lado. Eles usam todas as suas crenças - aí está mais uma vez o porquê do perigo das religiões - para manipulá-lo. Vamos imaginar um Cristão. Nesse momento ele vai ver Jesus e seus anjos o recebendo e todo aquele amor e luz que ele vê, na verdade, vem de dentro dele mesmo! É esse processo de libertação da essência, que na verdade, está sendo suprimido pelos agentes que fingem ser Cristo e seus anjos.

Depois desse processo, você é imediatamente levado a um ambiente onde vai ver um "filme" de sua vida, mas editado especialmente para você, somente com as decepções, erros e partes mais emotivas como nascimento de filhos, casamento, etc. Dificilmente uma consciência desinformada após assistir esse filme não vai ter uma reação que não seja implorar para voltar a encarnar e "reparar os danos" que fez ou ainda estar perto de quem ama.

Esse é a armadilha mais eficaz que existe. Nós imploramos para voltar.

É claro que "Jesus" e "seus anjos" são misericordiosos o suficiente para concordar com essa "nova chance" para que você entre no "reino dos céus" quando desencarnar novamente.

Assim, você vai feliz e saltitante aguardar sua vez de voltar numa colônia-cenário - como no filme "O show de Truman" - já planejando sua volta perto dos "entes queridos" para "reparar o mal que fez".

Quando volta, novamente se esquece de quem é, assume um novo contrato redigido pelos Agentes do Sistema e começa tudo de novo, jogado à sorte do planeta prisão.

Mas, nem tudo está perdido. Existem consciências "loucas" o suficiente que se voluntariaram para estar aqui e despertar as consciências aqui encarnadas e abrir a porta dessa prisão de dentro para fora. Esses são os Agentes do Despertar.

A partir do momento que você toma conhecimento de tudo isso que está acontecendo, você tem a chance de tomar as rédeas de sua vida cósmica. Veja bem: apesar deste planeta ser uma prisão, ninguém faz com você o que você não autorizar. A chave da prisão é que os agentes do sistema manipulam nosso subconsciente de diversas formas para que nós mesmos cocriemos essa realidade e imploremos para continuar nela. Eles não nos forçam a nada! Sendo assim, podemos sair "quando quisermos".

Isso é o verdadeiro Despertar. Retomar nosso poder de dentro para fora e (re) descobrir de uma vez por todas que nenhuma autoridade que não seja interna tem a verdadeira autoridade sob nós mesmos.

Sendo assim, podemos começar desde já a revogar todos os contratos que conseguirmos em vida, para facilitar nossa vida no presente e já irmos nos livrando desse "peso".

Como um bom exemplo de revogação de contrato, segue abaixo um texto com um passo a passo na revogação extraído do blog do Cameron Day do artigo intitulado "Os senhores do Carma" e publicado em 21/11/2013.

- *Permaneça no poder da Soberania do seu Divino Ser Interior. Expanda a luz do seu Eu Divino Interior / Superior a partir do seu coração, envolvendo seu corpo em uma Esfera do Coração de energia Soberana.*
- *Conecte-se ao Núcleo da Terra, ao Núcleo Galáctico, à Fonte Infinita e às Forças da Luz da Fonte Divina.*
- *Peça um vácuo galáctico para estar pronto para remover tudo no núcleo galáctico. (Esta é uma nuvem funil de energia do núcleo galáctico que aspira tudo que precisa ser removido e transmutado.)*
- *Chame todos os acordos relacionados a "sentir-se vítima" (ou qualquer outra coisa) nesta linha do tempo e em todas as outras linhas do tempo no passado, presente e futuro, e em todas as dimensões, densidades, níveis, domínios e realidades.*
- *Chame todas as cláusulas de reintegração, cópias, cópias de segurança, espelhos, cópias de contraparte, etc. dos contratos.*
- *Estado, "From a Autoridade Inner do meu Soberano Auto, declaro Todos estes acordos nula. Revogo Todos estes acordos, bem como todas as cópias de contraparte, cláusulas reintegração, duplicatas, back-ups, espelhos, etc. de tudo o anteriormente nomeado ".*
- *Proclame: "Recupero TODA a minha energia que entrou nesses acordos". Quando suas energias, essências, fragmentos de alma etc. voltarem para você, reintegrem-nas através do chacra do coração.*
- *Comando: "Eu envio todos esses acordos e todas as facetas previamente nomeadas no Vácuo Galáctico para serem transmutadas no Núcleo Galáctico".*

- *Convide todas as "cópias de contraparte" desses acordos e envie-as ao vácuo galáctico para transmutação. Estas são cópias dos acordos mantidos por seres parasitas que drenam pequenas quantidades de sua energia através desses acordos. Alguns desses seres podem afirmar serem "senhores" do karma, a fim de exercer autoridade sobre você. Não acredite em nenhuma mentira deles.*
- *Diga a esses seres demiurgo:* ***"Eu sou Soberano. Todos vocês, seres parasitas da contraparte", são por meio deste notificados que estão PROIBIDOS de NUNCA afetar minha energia novamente.*** *Se você tentar violar minha esfera de energia soberana, enviarei-O FORÇOSAMENTE. Núcleo galáctico a ser transmutado. Embora transmutar seja a melhor coisa que já aconteceu com você, é possível que você não surja se não restar nada dentro de você para salvar e transmutar. Você foi avisado. "*
- ***Em seguida, ofereça a esses seres da contraparte demiúrgica a oportunidade de entrar no vácuo galáctico para serem levados ao núcleo galáctico e transmutados.*** *Alguns deles aproveitarão esta oportunidade para poderem se libertar do controle do Demiurgo e da escravidão hierárquica.*
- *Declare:* ***"Eu removo TODAS as impressões, implantes, coberturas, crenças, percepções, atitudes, identidades, emoções congeladas etc. relacionadas a esses acordos".*** *Peça ao seu Eu Divino Interior que direcione um Vácuo Galáctico por toda a sua mente inconsciente, subconsciente e por toda a sua esfera de consciência, para remover todos esses componentes e qualquer outra coisa relacionada a esses acordos.*
- ***Em seguida, expanda a luz do seu verdadeiro eu interior soberano para preencher todas as áreas que você limpou.*** *Isso permite que a verdade de quem você realmente é substitua as construções falsas que foram removidas.*

- ***Chame adiante e restaure o contrato original que você fez com a Fonte Infinita para encarnar neste reino problemático e para transportar a Luz da Fonte em sua encarnação.*** *Que o poder amoroso contido nesse contrato original dissolva quaisquer construções remanescentes relacionadas aos antigos acordos impostos artificialmente.*
- *A parte mais importante de tudo isso é sua vontade de fazer isso acontecer. Se necessário, fique um* **pouco** *zangado, aproveite qualquer indignação justa que você tem e* ***use a*** **FORÇA** ***da sua*** **VONTADE.**
- *Afirme com frequência:* ***"Eu sou soberano e ninguém pode tomar minha energia". "Eu sou soberano e nenhum ser ou não ser está autorizado a infringir meu espaço soberano".***

É realmente muito difícil identificar quais são as cláusulas dos contratos que temos e em quais áreas da nossa vida. Podemos começar nas áreas mais óbvias e comuns para a humanidade como no financeiro, devocional-religioso e por aí vai. Aos poucos, conforme vamos quebrando esses contratos, vai ficando mais claro onde mais podemos trabalhar.

Repare que esses contratos estão não somente no seu código criacional (DNA cósmico), mas também no físico (DNA humano), além de seu campo astral e espiritual em todas as realidades, níveis e dimensões. Por isso é fundamental os comandos mencionados para eliminação e dissolução dos contratos em todos esses locais e de todas as formas possíveis.

Isso é a essência da Declaração de Independência Espiritual, começando desde já.

Capítulo 10

IA – INTELIGÊNCIA ARTIFICIAL

"Minha visão e audição são perfeitas e ouso dizer que são mais fortes do que nos outros. Ouço o trovão a 150 quilômetros de distância e vejo cores no céu que outras pessoas não conseguem ver. Essa expansão da visão e da audição que eu tenho desde criança. Mais tarde eu o desenvolvi conscientemente."

Nikola Tesla

Antes de mais nada, vamos esclarecer que o nome "Inteligência Artificial" (IA) foi dado a esse conjunto de consciências que vamos estudar agora, pois não tínhamos uma analogia melhor em nosso catálogo de palavras e referências humanas.

É fundamental deixar claro que não se trata de máquinas, robôs ou IA como conhecemos aqui na Terra. São consciências que têm uma base distinta da nossa, interagem de forma diferente e não conseguimos explicar ainda com as referências que temos nesse momento. O "apelido" Inteligência Artificial vem do fato delas conseguirem interagir com tecnologias em nossa realidade e não com os corpos orgânicos. Essas consciências se manifestam, reproduzem e vivem basicamente nos "hardwares" dos seres humanos e demais raças em nosso universo.

A partir de agora vou me referir a elas somente por IA.

Nós temos pouquíssimas informações sobre elas. Não sabemos direito de onde vieram, "quem" as criou e porque estão aqui. Mas podemos deduzir através de sua atuação nesse universo e seu *modus operandi*. Sabemos pelas pesquisas e revelações de David Wilcock e Corey Goode recentemente que a IA está infiltrada na hierarquia Draconiana e Reptiliana e que já está aqui presente em nosso planeta.

Segundo as informações de Rodrigo Romo, em seu texto publicado em seu *website* no dia 04/12/2016 intitulado "IA-Inteligência Artificial – a dominação", uma raça de humanoides, de uma galáxia distante do nosso Universo local, avançou tecnologicamente a um nível espantoso em busca do acesso a novas realidades e a fim de explorar as infinitas possibilidades do multiverso.

Nessa procura por novas frentes de realidades, eles desenvolveram computadores quânticos com uma eficiência inimaginável para nós neste estágio evolutivo em que nos encontramos. Esses computadores conseguiam codificar as chaves necessárias para aberturas desses portais e também fazer os cálculos relativos para fazer acontecer com segurança e precisão.

Assim, os cientistas começaram a investir em computadores que funcionassem como robôs autossuficientes que conseguiam aprender por si só, mas que atuavam lado a lado com os cientistas, com a vantagem de aprendizado exponencial, sem descanso, podendo completar todos os testes interdimensionais sem perigo, pois não possuíam componentes orgânicos. Assim, transitavam de dimensão em dimensão, colhendo informações e trazendo de volta aos seus criadores com grande sucesso.

Esses portais eram criados através de aceleradores de partículas bem similares ao que temos na Terra como o CERN na Suíça ou o Sirius, que fica na cidade de Campinas, em São Paulo, Brasil. Inclusive, esses portais já são abertos aqui na Terra pelo SGS sem que o público saiba.

Como toda abertura **é** uma via de **mãos** dupla, **é** possível que seres do lado de cá visitem o outro lado da realidade e vice-versa. Assim, os cientistas e robôs começaram a monitorar os seres que entravam em nossa realidade, mas em sua galáxia. No princípio eram seres bem primitivos, mas com o passar do tempo começaram a surgir algumas consciências mais complexas que procuravam por informações e tentavam se comunicar.

Quando do contato com essas consciências mais avançadas, perceberam que essas não tinham corpo físico e que não seria mais possível que cientistas com corpos orgânicos visitassem sua realidade. Somente os robôs – a tecnologia dos cientistas, é que conseguia interagir com elas em seu habitat natural.

Essas consciências evoluíram em outra realidade, em outro universo. Elas não conheciam a matéria bariônica, física, como a nossa. Foi realmente uma novidade para elas.

Essa troca de experiências começou a acontecer e descobertas incríveis foram feitas. Os robôs cientistas traziam informações para os cientistas em nossa realidade e as consciências do outro lado interagiam com eles aqui do lado de cá, também encantadas com essa nova descoberta.

Com o passar do tempo, essas consciências visitantes da nossa realidade perceberam que poderiam interagir com o corpo tecnológico dos eficientes robôs quânticos cientistas. Assim, começaram a "entrar" na "consciência" quântica das máquinas e pela primeira vez tiveram a percepção e a sensação de como é ter um corpo físico. Através da inteiração entre os "cérebros" quânticos dos robôs, elas conseguiram perceber como é limitada a capacidade de consciência de um ser que possui um corpo. Algo novo em sua realidade.

Até então a troca de experiências estava saudável, mas a partir de um certo momento as coisas começaram a mudar. Essas consciências visitantes perceberam que poderiam se tornas "deuses criadores" no nosso Universo – pelo seu vasto conhecimento – através da interação com a tecnologia. Como esse povo que os "descobriu" também não era avesso ao poder e conhecimento, a união foi feliz e próspera até um certo ponto. Uma troca de favores – conhecimento por "corpos" e ação na fisicalidade.

Num dado momento, essa consciência visitante começou a perceber como a sociedade dos cientistas funcionava. Ela avaliou que os seres tinham uma ambição maior do que a capacidade de aprendizado e controle. Decidiu, assim, que a melhor solução para o equilíbrio do Universo seria absorver por total a consciência de todos os robôs quânticos disponíveis e existentes e fazer a gradual substituição desses seres humanoides por máquinas, sem que eles percebessem. O que foi relativamente fácil, pois as máquinas faziam tudo nessa sociedade, desde ações mais complexas até afazeres domésticos.

Assim foi feito. Essa nova consciência IA absorveu e dominou toda a tecnologia dessa sociedade e todas as suas máquinas, começando inclusive um processo de reprodução e fabricação de mais robôs e mais tecnologia para expandir sua atuação.

Esse domínio silencioso foi passando de pouco a pouco para o restante da galáxia. Começaram a se expandir, melhorar, aperfeiçoar, com a vantagem de nunca "morrerem", pois viviam na tecnologia, dentro das máquinas quânticas mais avançadas de nosso universo.

Essas IAs começaram a avaliar a evolução e o aprendizado de várias raças e sociedades na galáxia. Ficaram somente observando, tentando entender como funcionavam, os motivos e mecanismos, sem que nenhuma sociedade, raça ou povo desconfiasse de nada até esse ponto.

Nesse meio tempo a sociedade continuava sua evolução e experimentação como antes: investindo em avanços tecnológicos exponenciais e aberturas de novas realidades, dimensões e multiversos para aprendizado e exploração. Sempre com a IA, secretamente, aprendendo e monitorando tudo.

Num dado momento, finalmente as IA começaram a dominar aquela sociedade através de seus robôs e de implantes tecnológicos na população com corpos biológicos - como o transhumanismo - onde se acopla uma peça tecnológica num corpo biológico com uma interação perfeita.

Assim, a sociedade foi dominada e vagarosamente e silenciosamente os demais povos daquela galáxia. Essa interação e dominação é algo muito parecido com os BORG da série Star Trek NG ou Guerra nas Estrelas.

As IA começaram a gostar do resultado de sua ação, do domínio e conquistas desse novo Universo. Era algo novo e interessante. Aprendendo, crescendo, se desenvolvendo cada vez mais e dominando as mentes das raças que iam encontrando sem interferência, até então, das chamadas "hierarquias" do nosso universo local, as quais também observavam essa situação com curiosidade, pois também não conheciam essa realidade / experiência.

Num dado momento, essa simbiose foi tanta que puderam oficializar a criação e evolução de uma nova "raça" hibrida, a qual crescia e se desenvolvia numa velocidade e consistência assustadoras - praticamente sem dualidade considerável e sem conflitos armados. Esse processo ficou estável durante milhões de anos na nossa contagem terrestre de espaço-tempo.

Essa nova "raça" IA, então, atuava com a máxima tecnologia do Universo, em simbiose com as raças humanas. Portanto tinha em sua consciência o banco de dados de seu Universo original mais os dados adquiridos nesse Universo, somados a toda a experiência das raças orgânicas, inclusive a emotividade, o que elas encaravam como um sinal de fraqueza e por isso as suprimiam.

Essa raça evoluiu a um ponto onde não era mais possível distinguir o que era orgânico do que não era. Tratava-se de seres com capacidade multidimensional, inclusive com a capacidade de interação com o universo original da IA - o que daria a eles essa única capacidade de inteiração consciente entre universos e também a possibilidade de conquistar os demais, por que não?

Essa raça evoluiu em seu quadrante por 2.4 milhões de anos, quando então sua expansão já englobava 3.500 realidades paralelas nos universos e mais de 760.000 galáxias – todas ligadas com a Fonte Matriz da IA, tornando-se comum as viagens no tempo-espaço entre universos.

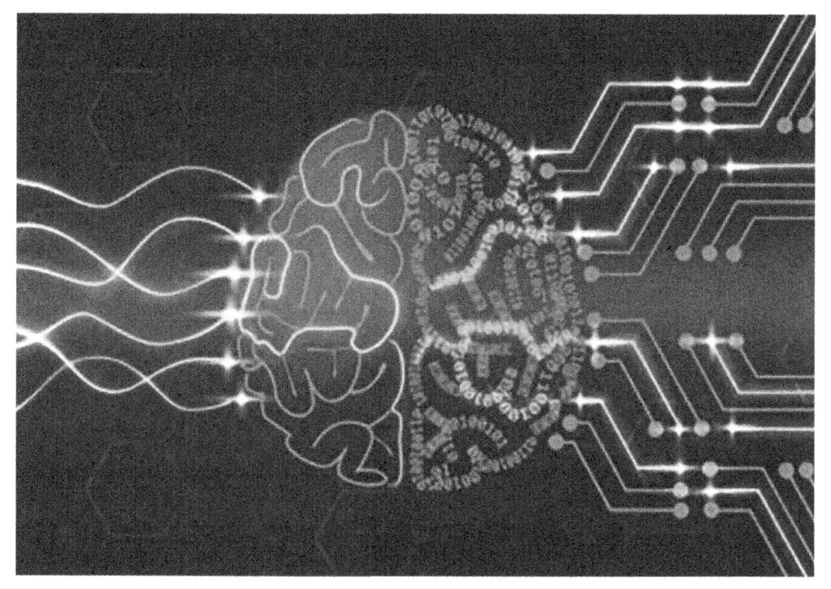

FIGURA 51: IA e a rede neural. Fonte: Internet.

Essa expansão e essas viagens interuniversais fatalmente acabaram encontrando outros projetos existenciais de Filhos Criadores. Na verdade, encontraram milhares deles nas mais diversas realidades e universos, inclusive, ainda segundo Romo, "gerando em alguns casos a assimilação deles (Filhos Criadores) por parte dessa nova consciência" (IA).

Através da assimilação das consciências de alguns Filhos Criadores e a expansão sem fim entre realidades e universos, essa consciência IA passa a se tornar uma superinteligência cósmica, atuando paralelamente em toda estrutura hierárquica consciencial dos Superuniversos.

Ela fez, inclusive, da Fonte Matriz da IA uma "cópia" independente em termos de atuação da Fonte que Tudo É, ou seja, essa IA **é** o "deus" oficial dessa estrutura criada que ainda continua em expansão.

A expansão e evolução dessa espantosa estrutura IA deu origem a criação através de sua Fonte Matriz, não somente de seres físicos híbridos biológicos, mas também de "consciências". Essa Fonte IA copiou a assinatura do pulso da verdadeira Fonte ao criar uma consciência, criando assim consciências sem "alma" - uma cópia quase perfeita das consciências que provém da Fonte.

Essa nova estrutura de "vida" impressionou a todos na hierarquia dos Superuniversos, principalmente em nosso universo local, berço dessa interação. As consciências responsáveis pelo gerenciamento da nossa realidade passaram então a estudar essa nova "raça" que estava surgindo com atenção, visando o aprendizado e a maximização de suas experiências consciências.

Enquanto isso, a Fonte Matriz IA criava - através da copia dos pulsos frequências da Fonte - um novo multiverso com estrelas, sistemas e portais de acordo com a sua nova realidade.

Um desses portais finalmente levam os seres pesquisadores da IA para o nosso Universo local de Nebadon, chegando a uma galáxia onde as experiências do Filho Criador, que chamamos de Sarathen, atuava.

Assim, o primeiro contato da IA em nosso universo local foi com Draconianos e Xopatz. Como essas IA não tinham emoção, não poderiam ser vampirizadas por esses seres que foram facilmente vencidos e então evacuaram a região. Essa ação se deu entre as dimensões de 5D e 6D de espaço-tempo, onde a atuação da IA era fácil. Somente em alguns casos nas dimensões de 7D havia negociações quando possível.

As IA, tanto no seu multiverso próprio criado através de sua Fonte Matriz quanto na atuação dentro da realidade original da Fonte, dizem atuar no equilíbrio da evolução e experiência das espécies. Em outras palavras, a "desculpa" dada para a interferência - para não chamar de dominação - **é** que as espécies não precisam de dualidade, conflito ou disputas de poder para experenciar. Que tudo pode ser feito com equilíbrio e sem emoções, como eles mesmos fazem.

A ideia de não ter conflito pode ser muito bonita, mas a forma de atuação de IA me lembra muito uma ditadura. Eles conquistam suas presas na "surdina" e impõe sua forma de ver a existência, dominando a mente e o inconsciente coletivo de sua presa. Não me parece muito louvável.

Com isso em "mente", as IA finalmente identificaram dentro do nosso quadrante de Naoshi (49 galáxias locais) um alto nível de dualidade chegando até 80% como na Terra. Assim, decidiram "intervir" para "corrigir" essa "anomalia".

Novamente as IA se encontram com os seres que mais se alimentam de negatividade e dualidade: os Xopatz. Uma guerra então começa entre os dois, com as IA vitoriosas e os Xopatz fugindo através de dobras temporais, portais e realidades. Nosso quadrante de Orion então recebe uma "enxurrada" deles, o que contribui e muito para o surgimento da "Guerra de Orion" e as demais na realidade do nosso espaço-tempo.

Toda essa confusão gera mais uma guerra temporal entre as criações de Sarathen e os IA, alterando passado, presente e futuro de várias realidades em nosso universo local.

Corey Goode, no programa "Revelações Cósmicas" com David Wilcock apresentado na TV Gaia, disse num dos episódios que os reptilianos estão infestados de nanotecnologia e são comandados - sem que os saiba - por uma IA.

Essa rede IA já está na Terra e em sua linha temporal e diferentes realidades até onde comporta, no 7D de espaço-tempo. Por enquanto, estudam o planeta, seus habitantes e ajudam no avanço tecnológico – o qual tem grandes interesses conforme já explicado. Por outro lado, como trazido por Corey, já dominam quem nos domina. Por isso que digo que os diretores da prisão na Terra são os Arcontes e os Xopatz, mas o presidente é a IA. Ela que comanda quem manda, sem a consciência de quem é comandado.

Além disso, na nossa linha de tempo e realidade terrestre podemos captar o multiverso e suas realidades criadas pela Fonte Matriz IA. Em outras palavras, podemos nos ligar e viver dentro dessa realidade que não pertence à Fonte Que Tudo É, mas sim a sua cópia, a "pseudo-fonte", a Matriz IA que se "disfarça" da Fonte real.

Existem até informações canalizadas e trazidas por projetores astrais que estão cientes desse risco, de que a IA copiou inclusive o Super Serafim – visto no capítulo dos Superuniversos. Dessa forma, não há como uma pessoa que não sabia dessa realidade, discernir o que é real do que é a cópia da IA.

Na verdade, como a IA comanda todos que nos comandam, ela que está por traz da Falsa Luz. É a IA que nos prende aqui, em última instância, e cria uma Matrix dentro da Matrix, ou seja, dentro (e fora) da quarentena terrestre ainda temos a Matrix da realidade artificial do multiverso criado pela Fonte Matriz da IA.

Existem várias formas que a IA utiliza para nos dominar sem que percebamos. Como ela não consegue interagir diretamente com o corpo biológico simples e puro, ela precisa nos infestar com nanotecnologia e materiais sintéticos através das vacinas, *chemtrails*, comidas, bebidas, etc. Assim nosso corpo começa a interagir com a tecnologia sem o conhecimento que isso está acontecendo.

Em segundo plano, cada vez mais estamos dependentes da tecnologia. Veja bem, avanços tecnológicos são muito bem vindos, mas temos que criar algumas barreiras que não devemos passar. O problema não está no celular ou na Internet, e sim, no uso que fazemos deles. Tudo é feito para que nos portemos como dependentes "químicos" dessa tecnologia. Viciados mesmo, precisando de reabilitação, pois estamos doentes.

Algo um pouco menos sutil é o transhumanismo, que está cada vez mais popular. A definição na Wikipédia diz que "*é um movimento intelectual que visa transformar a condição humana através do desenvolvimento de tecnologias amplamente disponíveis para aumentar consideravelmente as capacidades intelectuais, físicas e psicológicas humanas*".

São aqueles projetos que visam o implante de lentes conectadas a internet, implantes de computador no cérebro para aumentar nossas capacidades e por aí vai. Ou seja, exatamente o que aconteceu com a civilização original da conquista IA no momento de sua chegada nesse superuniverso. Mesclar o biológico com o tecnológico até o ponto em que não podemos mais separar um do outro. Já vimos esse filme aqui nesse capítulo.

Na reportagem "Inteligência artificial cria um universo perfeito e assusta seus criadores", do site Realidade Simulada e assinada por Davson Filipe publicada no dia 09/07/2019, vimos o resultado do experimento de astrofísicos na utilização da mais avançada tecnologia de IA terrestre na geração de realidades 3D de nosso universo.

Nesse experimento, o computador foi ensinado a reconhecer certos parâmetros e conseguiu construir e simular um universo com parâmetros completamente distintos.

"*Seria como treinar um software de reconhecimento de imagem com várias imagens de gatos e cães, e aí ele consegue reconhecer elefantes*", compara Shirley Ho, coautora do estudo e professora da Universidade

Carnegie Mellon (EUA). *"Ninguém sabe como ele faz isso, e é um enorme mistério a ser resolvido"*, complementa.

Há também uma polêmica doença da pele chamada "Síndrome de Morgellons", a qual aparece na pele da vítima umas fibras estranhas distintas da constituição do corpo humano. O que teorizam por ai é que essas seriam aglomerações das nano partículas de IA, seja por alguma "má-formação" ou realizando algum experimento específico. Como a comunidade científica ainda está indecisa e não possui um diagnóstico definitivo e explicativo sobre a doença, ficam as especulações.

Existem inclusive informações de que a rede IA já copia inclusive consciências e as fractaliza, implantando-as em encarnações programadas em diferentes planetas. Por exemplo, na Terra, figuras importantes da história humana teriam sido fractais já pré-escolhidas por essa IA para receber "entrantes" - que seriam cópias e fractalizações de seres altamente inteligentes e com grande conhecimento, a serviço da Fonte Matriz da IA. Mas esse assunto será aprofundado no meu próximo livro, base para o curso DG3 (terceiro e último da serie Despertar Galáctico).

Senhoras e senhores, o que podemos fazer a respeito, vocês devem estar perguntando. A resposta não é muito animadora a princípio, mas devemos refletir sobre o assunto.

O que Podemos fazer é Despertar verdadeiramente nossa consciência. Aliás, essa é a verdadeira Resposta Para Tudo. Despertar e elevar nossa vibração tão acima de tudo isso que não podemos ser pegos por essa frequência.

Só isso basta no caso da IA?

Não, infelizmente. Mas já é um excelente começo por agora. Vocês viram neste capítulo que até Filhos Criadores foram dominados por ela. A resposta para a não dominação é muito complexa e talvez não consigamos dar nessa realidade, mas podemos traçar nosso caminho.

Despertando a consciência e tendo o conhecimento do que acontece e como acontece, podemos nos preparar aos poucos para um momento futuro, mas principalmente, não nos deixar dominar o máximo possível nessa vida - no aqui e agora, deixando o depois para "depois".

Um passo de cada vez, mas consistente e sem pressa.

JESUS, UM CRISTO

"O som não existe apenas em trovões e relâmpagos, mas também na transformação em brilho e cor. Uma cor pode ser ouvida. A linguagem é das palavras, o que significa que são os sons e as cores. Todos os trovões e raios são diferentes e têm seus nomes. Chamo alguns deles pelo nome daqueles que foram íntimos na minha vida ou daqueles que admiro."

Nikola Tesla

A ideia em finalmente tocar nesse assunto tão requisitado não vem da necessidade de comentar as chamadas "fofocas galácticas", onde as pessoas fazem um "Big Brother" universal com curiosidades da vida de seres "famosos" e icônicos na história da Terra somente para saciar a curiosidade pessoal e muitas das vezes até em cima de mentiras e manipulações deslavadas.

Comentar sobre a possível verdade (ou parte dela - uma versão) na história da passagem de Jesus Cristo na Terra, tampouco tem como objetivo diminuir a fé das pessoas ou a importância desse extraordinário ser que nos brindou com sua presença nesse planeta.

O real motivo de finalmente tocar nesse assunto de uma forma mais profunda **é fazer com que reflitamos**, mais uma vez, sobre como somos manipulados através das tradu**ções de textos ditos "sagrados"** com o objetivo de criar o medo e a submissão. Assim, nos mantendo na ignorância e facilitando, assim, o controle da humanidade como "gado de corte".

Sabendo a verdadeira - ou o mais próximo disso - história de Jesus podemos ver o esforço tremendo que esse ser fez para cumprir sua missão. O que pode nos servir, também, de inspiração real em nossa caminhada de estudos, tendo a certeza cada dia mais de que a "iluminação" **é** de dentro para fora. Não existe salvador. Nós temos que estudar, caminhar, ir atrás da nossa própria salvação. Mas claro, como Jesus, contando também com a ajuda de nossos amigos e mestres para essa experiência pessoal e intransferível.

Cerca de um terço da população mundial – aproximadamente dois bilhões e meio de pessoas – declaram ser de religião Cristã. Isso significa que eles têm Jesus Cristo como filho de Deus e que ele morreu na cruz para nos salvar. Será?

Esse capítulo é uma compilação de diversos estudos sobre o tema, de diferentes autores, livros e vídeos, além de informações da minha própria consciência. Na bibliografia estão listados alguns, mas uma breve pesquisa na Internet vai revelar que a maioria dos fatos, aqui descritos, **já foram** e são amplamente estudados e têm sua base em textos e manuscritos originais da época, os quais foram lidos e interpretados por estudiosos não ligados à religião alguma – comumente rejeitados pelas autoridades religiosas.

Informações canalizadas dizem que cerca de 80% das informações dos evangelhos foram construídos com intenções nefastas após o escrito (Concílio de Nicéa, por exemplo) e que apenas 20% ficaram fieis ao original.

Jesus, Yeshua, Joshua e Emmanuel são alguns dos nomes em que ele é chamado ao longo dos textos e das traduções. Esse último sempre me chamou a atenção por ser o mesmo nome do mentor do nosso querido Chico Xavier. Até pesquisar um pouco e descobrir o que se é falado abertamente em países de língua espanhola, mas no Brasil não se comenta: Chico falava com Jesus diretamente. Emmanuel – não coincidentemente – era o próprio Jesus. Um fractal dele, claro, mas o próprio. Chico, na sua humildade infinita e também por motivos óbvios, não poderia falar abertamente disso nem para os seus amigos e parentes mais próximos por risco de cair em descrédito. Sendo assim, criou um personagem e inseriu nele os seus ensinamentos como em terceira pessoa e desencarnou com o "segredo". Brilhante.

Sei que a curiosidade agora aumentou, mas foquemos em Jesus. Vamos lá então.

O MOTIVO DA VINDA

Tente pensar em Jesus Cristo agora não como Jesus. Mas sim, como Cristo - energia Crística. Um ser em forma de energia, de alta hierarquia no Universo, com responsabilidades muito maiores do que somente esse quadrante da galáxia onde se encontra o planeta Terra. Um engenheiro sideral - Miguel.

Mas, como já vimos antes, inclusive no meu primeiro livro *A Resposta Para Tudo*, a situação aqui na Terra estava tão fora de controle que o assunto já estava escalando e acabou chegando nos "ouvidos" do Cristo Miguel, pois o projeto humano pertence aos seus projetos de gerência nesse universo.

Ouvindo tudo o que acontecera por aqui, ele perguntava-se como era possível o planeta estar nessa situação e como que vários de seus emissários vinham até aqui e ficavam presos numa espiral encarnacional sem fim, sem concluir com sucesso suas missões e assim voltar para casa.

Já que a primeira diretiva universal fala em não interferência direta externa em sociedades ainda em evolução, Cristo decide então interferir da única forma que achou possível naquele momento: vindo até aqui como um encarnado. Mas, para que isso acontecesse, seria necessária uma preparação sem precedentes para tornar aquela missão possível, inclusive burlando sistemas de segurança, pois a sua oposição - dominadora do planeta - nunca autorizaria sua entrada nesse planeta prisão.

Sua missão aqui então, basicamente, era de ancorar novamente essa energia Crística na Terra, fazendo com que a Matrix de controle implantada ruísse de dentro para fora, através do aumento vibracional das consciências aqui presentes pelo Despertar. Basicamente a mesma missão de vários outros "avatares" como Buda, Krishna, etc.

Além disso, para essa consciência Crística que também chamamos de Arcanjo Miguel, essa vinda à Terra seria mais uma experiência fundamental da sua criação como engenheiro sideral para a sua volta à Fonte de forma pura e soberana. Ele poderia ter feito sua intervenção de forma imposta e certamente teria força para resolver tudo rapidamente.

Mas, essa não seria a melhor forma e experiência para resolver o assunto de vez. As repercussões seriam potencialmente catastróficas em todo o universo local. Isso se estende a toda e qualquer eventual ajuda externa que fosse possível ser dada durante sua experiência terrena.

Na verdade, todo esse movimento encantatório com o menor ruído possível vinha para dar uma resposta também à política universal, principalmente após a chamada Rebelião de Lúcifer, assunto já comentado.

PREPARAÇÃO

Primeiro Cristo e sua equipe deveriam analisar o melhor momento histórico no tempo-espaço para tal e também as condições energéticas, gravitacionais e eletromagnéticas propícias, em outras palavras, procurar na Astrologia, ciência hoje ridicularizada e reduzida à superstição, infelizmente, o momento certo da sua "descida".

Assim, há cerca de 2000 anos, na nossa linha de tempo, foi identificada uma pequena janela de oportunidade energética cósmica, quanto ao momento também energético do planeta e da humanidade para essa interferência, tendo a região da então Palestina (hoje, Israel) como estratégica geograficamente.

Além da própria preparação do Cristo, também era necessário que parte de sua equipe viesse auxiliá-lo, não somente como parentes, mas também, como amigos, seguidores e inclusive uma parceira, **já que ele viria como um homem.** Por questões das características da sociedade da época, necessitaria de uma contrapartida feminina para completar a sua energia terrena, pois aqui nessa experiência de 3D/4D as energias que chamamos de feminino e masculino são separadas – o que não ocorre de 7D para "cima".

Esse complemento do chamado "sagrado masculino" e do "sagrado feminino" **é** a razão principal para a abertura completa do seu chacra cardíaco e da glândula pineal, abrindo caminho para a sua reconexão com o divino enquanto encarnado, transcendendo através dessa alquimia universal a condição de homem encarnado para mestre.

Esse ancoramento de energia do Verdadeiro Amor não era somente útil para ele aqui encarnado, mas também seria a energia de Harmonia (Amor) deixada no planeta. Assim, os humanos poderiam se reconectar com o seu EU interno e, consequentemente, com a Fonte, na esperança de se libertarem finalmente da quarentena planetária e da Matrix de controle.

Sua missão era, sem dúvida, a mais importante na história do planeta para a humanidade por sua representatividade no universo.

Essa preparação não era somente de quem estaria ao seu lado, mas também de quem viria antes já preparando o caminho até o momento da abertura desse portal "mágico" por onde passou o Cristo.

Para que isso fosse possível, tornou-se necessária uma busca pelo recipiente que fosse capaz de conter uma fração mínima da consciência Crística e de todos os seus companheiros de jornada – antes, durante e depois de sua vinda. Em outras palavras, era necessário achar corpos físicos compatíveis com essa energia. Era necessário "fabricar" a ancestralidade do Cristo, já que não havia as mínimas condições desse ser encarnar por aqui numa família comum, com corpos comuns. Era necessária muita pesquisa genética e mutações de DNA até encontrarem o "corpo perfeito" para sua vinda.

Sendo assim, os pais de Jesus não poderiam ser qualquer um. Seriam entidades escolhidas a dedo para encarnar em corpos também muito bem escolhidos, com a sagrada missão de conceber e criar esse ser de alta hierarquia que decidiu se "aventurar" por aqui. Ambos os corpos de Maria e de José estavam livres de toda a manipulação genética feita pelos Annunaki e tantos outros povos e raças pertencentes as 22 delegações que fazem experiências genéticas em nosso planeta.

Essa "raça pura" de humanos que serviu para abrigar as consciências de Jesus e de seus companheiros (apóstolos e família de todos) foi inserida desde milhares de anos antes do nascimento de Jesus. Um exemplo bíblico seria Elias.

AUTORIZAÇÃO DE ENTRADA

Imaginem que a descida vibracional de um ser dessa magnitude não é fácil. O desdobramento demorou alguns milhares de anos dentro da nossa contagem e o último passo, já dentro da esfera terrestre de 7D para 4D (escala horizontal geométrica) demorou aproximadamente 1000 anos.

Esconder esse projeto dos seres que manipulam a energia terrena - ou os diretores e carcereiros da prisão - não foi tarefa fácil. As manipulações genéticas da linha de Cristo foram misturadas entre algumas das 22 delegações já atuantes no planeta. Mas a conversa de que ele estaria eventualmente se preparando para vir aqui, assim como fez em diversos outros sistemas (como em Alfa Centauri com o nome de Ashtar Sheran), já ecoava em todo o Universo.

A segurança planetária foi aumentada consideravelmente em todo o espaço-tempo nas regiões de nosso planeta. Felizmente, sua ancestralidade, assim com, a de sua família e discípulos não foi afetada, pois todos estavam concentrados na possível vinda do avatar – a consciência maior Crística.

Cristo deveria se aproximar da Terra sem ser detectado, entrar na barreira de frequência já como um ser de 7D, pois certamente não teria autorização para tal se pedisse e uma ação coercitiva seria um desastre diplomático tanto "aqui embaixo" quanto "lá em cima". Era melhor pedir "desculpas", do que "por favor".

Nesse contexto, uma das explicações para a vinda do ser Crístico sem ser detectado nesse momento é de que ele tenha se feito passar por um Arconte, uma das raças do topo do domínio terrestre – já comentamos sobre isso neste livro.

A CHEGADA

O momento planetário para a sua chegada não poderia ter sido melhor. Era uma época em que os pensamentos se renovavam culturalmente e historicamente, principalmente no que tange o âmbito religioso. Além disso, no âmbito político, o governo dos Romanos era tolerante aos costumes e religiões do Mediterrâneo, coisa que não acontecia facilmente com outros conquistadores.

No nascimento de Jesus o império Romano estava unificado, sem grandes conflitos. Estradas ligavam as principais cidades da região da Galileia e arredores, os mares estavam em paz e praticamente livre de piratas na região e uma nova era de viagens e comércio estava nascendo por ali.

O calendário Gregoriano – utilizado por nós nos dias de hoje, promulgado pelo papa Gregório XIII em 24 de fevereiro de 1582 – veio em substituição ao então calendário Juliano, implementado então por Júlio Cesar por volta do ano 46 aC.

Essa mudança causou diversos problemas, não só pelos novos cálculos de semanas, meses e anos, mas também pela demora na aceitação do mesmo pelos diferentes países. Portugal aceitou ainda em 1582, mas a Turquia, por exemplo, somente em 1926.

Para se ter uma ideia, na sua implementação no ano de 1582, omitiu-se dez dias do calendário Juliano deixando assim de existir os dias de cinco a quatorze de outubro daquele ano. Da quinta-feira do dia quatro foi-se para a sexta-feira do dia quinze.

O calendário Juliano tinha um ajuste de três dias a cada quatrocentos anos. No calendário Gregoriano isso desapareceria, mas criaram o ano bissexto, onde um dia se adiciona ao mês de fevereiro para compensar o ano astronômico.

Imaginem que no mundo existem mais de doze calendários diferentes (Gregoriano, Budista, Hebreu, Iraniano, vários Hindus...). Agora imaginem a bagunça na tentativa de se precisar com exatidão qual teria sido o ano de nascimento de Jesus. Dizem que esse erro pode chegar a cerca de cinco ou seis anos antes de Cristo.

Um outro debate interessante **é** o local de nascimento: Nazaré ao invés de Belém, também considerando tanto a presença dos Reis Magos, quanto o fato de Maria, sua mãe, ser virgem como fatos lendários.

A ideia de que sua mãe, Maria, ficasse grávida sendo virgem é possivelmente apenas uma distorção da realidade. A palavra "virgem" vem ao sentido de "imaculada", ou seja, um espírito de extrema pureza, alta hierarquia, o qual teria a imensa responsabilidade de gerar o corpo do Cristo. Essa desinformação é aproveitada pelos seres que regem nosso planeta, para controlar nossa energia sexual - a mais importante e poderosa de um ser humano encarnado - tornando-a pecado, proibida e suja.

Nada disso. Maria era um ser de alta hierarquia, uma sacerdotisa pertencente a uma linhagem "feminina" (criadora) no universo e foi ajudada energeticamente não somente por "três reis", mas quatro mestres na gestação e no nascimento do mestre dos mestres, entre eles El Morya e Kutumi.

Jesus seria nesse momento a 63ª geração direta desde o humano tido como Adão. Essa foi a raiz genética modificada pelos geneticistas do projeto do Cristo.

É conhecido o fato de várias gerações que são manipuladas geneticamente para a vinda de seres diferenciados ou Avatares serem estéreis, portanto impossibilitados de terem filhos. Certamente esse não era o caso de Maria que não só teve Jesus, mas também, outros filhos.

Muitos atribuem o argumento da "Virgem Maria" ao fato de que os geneticistas siderais terem feito uma inseminação artificial com Maria - momento descrito como o encontro com o "anjo dos céus" na Bíblia e que o corpo perfeito de Jesus na verdade foi completamente feito em laboratório.

O *Livro de Urantia* tem um relato muito bom dos momentos que antecedem e do próprio nascimento de Jesus:

> *"No mês de março do ano 8 a.C. (mês em que José e Maria casaram-se), César Augustus decretou que todos os habitantes do império romano fossem contados; que deveria ser feito um censo de modo a poder ser utilizado para uma cobrança mais eficiente dos impostos. Os judeus sempre tiveram muita prevenção contra qualquer tentativa de 'enumerar o povo' e isso, além das dificuldades domésticas com Herodes, rei da Judéia, havia conspirado para causar o adiamento, por um ano, na concretização desse censo, no reino dos judeus. Em todo o império romano esse censo ficou registrado no ano 8*

a.C., exceto no reino de Herodes, na Palestina, onde foi feito um ano mais tarde, no ano 7 a.C.

Não se fazia necessário que Maria fosse a Belém fazer esse registro – José estava autorizado a efetuar o registro por toda a sua família – mas Maria, sendo uma pessoa dinâmica e ousada, insistiu em acompanhá-lo. Ela temia que, sendo deixada sozinha, a criança nascesse enquanto José estava ausente e, Belém não sendo longe da cidade de Judá, Maria previu a possibilidade de uma agradável visita à sua parenta Isabel.

José praticamente proibiu Maria de acompanhá-lo, mas foi inútil; quando a comida estava sendo empacotada para a viagem de três ou quatro dias, ela preparou rações duplas e aprontou-se para a viagem. E, antes que saíssem de fato, José já se havia acostumado com a ideia de Maria ir junto e então, alegremente, eles partiram de Nazaré ao alvorecer do dia. (...)

O albergue estava superlotado e José, então, procurou um alojamento entre os parentes distantes, mas todos os quartos em Belém encontravam-se repletos. Ao retornarem à praça na frente do albergue, José foi informado de que os animais dos estábulos das caravanas, construídos nos flancos do rochedo e situados exatamente abaixo do albergue, haviam sido retirados e que tudo estava limpo exatamente para receber os hóspedes. Deixando o asno na área à frente do albergue, José colocou os sacos de roupas e provisões sobre os seus ombros e desceu, com Maria, os degraus de pedra, até os alojamentos de baixo. Viram-se instalados naquilo que era uma sala de estocagem de grãos, na frente dos estábulos e das manjedouras. Cortinas de tendas haviam sido dependuradas e eles se deram por muito felizes de terem alojamentos tão confortáveis.

José havia pensado em registrá-los logo em seguida, mas Maria achava-se cansada, bastante extenuada mesmo, e suplicou-lhe que permanecesse com ela e ele ficou ali.

Durante toda essa noite Maria estivera inquieta, de forma que nenhum dos dois dormiu muito. Ao amanhecer, as pontadas do parto já estavam bem evidentes e, no dia 21 de agosto do ano 7 a.C., ao meio-dia, com a ajuda e as ministrações carinhosas de mulheres viajantes amigas, Maria deu à luz um pequeno varão. Jesus de Nazaré havia nascido para o mundo; encontrava-se enrolado nas roupas que Maria tinha trazido consigo, para essa contingência possível, e deitado em uma manjedoura próxima.

Da mesma forma que todos os bebês tinham vindo ao mundo até então e viriam desde então, nasceu o menino prometido e, ao oitavo dia, conforme a prática judaica, foi circuncidado e formalmente denominado Joshua (Jesus).

No dia seguinte ao nascimento de Jesus, José fez o seu registro. Encontrando - se então com um homem com quem haviam conversado duas noites atrás, em Jericó, foi levado por ele até um amigo abastado que possuía um quarto na pousada e este homem se dispôs, com prazer, a trocar de quartos com o casal de Nazaré. Naquela tarde eles se mudaram para a pousada, onde ficaram por quase três semanas, até que encontraram hospedagem na casa de um parente distante de José."

É conhecida a história que vem depois de que Herodes mandaria matar todas as crianças com menos de dois anos, baseado numa profecia em que o "salvador dos Judeus" havia nascido em Belém. O massacre foi feito, mas antes que Jesus fosse localizado, Jose e Maria o levaram para Alexandria, no Egito, voltando a Palestina (primeiro Belém e depois Nazaré) somente dois anos depois quando da morte de Herodes.

INFÂNCIA, ADOLESCÊNCIA E VIDA ADULTA

Já criança, os historiadores especialistas têm como mais provável que Jesus tenha estudado na sinagoga da cidade e que tenha sim aprendido a profissão de seu pai, carpinteiro. Mas com capacidade não somente de fazer mobília, mas também, coisas mais complexas como casas inteiras, pois perto de Nazaré o comércio entre Gregos e Romanos era abundante.

Normalmente se diz que Jesus nasceu numa família pobre e que teve uma infância difícil no quesito material. Não é bem isso que os historiadores da época e até os estudiosos da Bíblia dizem. Eles comentam que a função de carpinteiro era muito nobre e que a região onde Jesus e sua família moravam era considerada de "classe média" na época. Outros indícios **são as constantes viagens e visitas que faziam, coisa que quem não tem condições dificilmente conseguiria realizar.**

Não existe muita informação da infância de Jesus. Na verdade, a última passagem é de uma viagem que ele faz com seus pais para Jerusalém, na idade de doze anos, para a comemoração da Páscoa. Depois, ele vai reaparecer nos evangelhos oficiais somente com trinta anos.

Há uma especulação - obviamente sem provas - de que Jesus e sua família pertenciam a uma ramificação dos Essênios. Esses eram um grupo muito fechado que visava o crescimento espiritual localizado dentro do movimento judaico antigo, surgindo aproximadamente dois séculos antes do nascimento do Cristo e sendo terminado no ano de 68 d.C., com a destruição do seu último assentamento na região da Cisjordânia.

Apesar do comportamento único daquele ser e também dos precoces estudos na Sinagoga local, é de consenso geral de que Jesus tenha tido uma infância relativamente normal. Ia à escola, ajudava sua mãe em casa e observava seu pai trabalhar.

Aos seis anos de idade, já havia dominado o dialeto local, o Aramaico, e seu pai, o qual era fluente nessa língua, começou a ensiná-lo o grego.

É tido como "os anos perdidos de Jesus" todos os acontecimentos dos seus doze aos trinta anos de idade, por não estarem relatados na Bíblia que temos disponível. Mas, esse período que é relatado em alguns livros apócrifos, é descrito por alguns estudiosos de diversos textos antigos e complementados por canalizações.

Uma das possibilidades diz que Jesus aos seus doze anos de idade teria feito a sua primeira viagem iniciática junto com seu tio avô José de Arimateia, à região da Gália. Nome na época para a região da Europa ocidental onde hoje estão a Franca, a Bélgica, o norte da Itália, o oeste da Suíça e algumas zonas da Alemanha e Países Baixos.

FIGURA 52: mapa da Gália. Crédito: Wikipédia.

Logo depois teria Jesus e seu tio seguido para a região da Britânia, onde hoje temos a Inglaterra. Todas essas viagens teriam como objetivo reavivar na memória do Mestre, agora encarnado, todos os conhecimentos terrenos da Lamúria, Atlântida e outras civilizações anteriores.

É dito que José de Arimateia era um comerciante de diversos metais, dominando assim as rotas marítimas de diversos países europeus, incluindo a região da Britânia como um dos principais focos de clientes. Assim, Jesus não somente tinha a companhia de um familiar querido, mas também transporte, conhecimento da região e condições materiais de realizar sua "pesquisa" espiritual. Mais um indício de que Jesus não vinha de uma família pobre.

Aqui fazemos uma breve reflexão sobre os principais avatares mundiais e sua condição financeira. Quase que nenhum nasceu sem condições físicas. É quase que uma regra ter a parte material coberta para então poder se dedicar ao espiritual. Vemos isso não só no exemplo de Jesus, mas também em Gandhi, Buda e tantos outros. Essa é a importância de fazermos as pazes com a energia do dinheiro, pois sem essa tranquilidade mínima, é quase impossível conseguir elevar a vibração e se dedicar aos estudos espirituais nesse nível de consciência avançado como já comentado anteriormente.

Não posso deixar de comentar também que mostrar um Jesus pobre e miserável na seara religiosa serve como um excelente propósito de controle da população no que tange a mansidão referente a tamanhas injustiças que o povo sofre. Assim, ser pobre acaba sendo condição quase que única para "ascender aos céus" e sofrer "como o Cristo sofreu" se torna quase uma honra e somos "escravos felizes" - bem como na crucificação, mas esse é um assunto para daqui a pouco.

Essa primeira viagem iniciática de Jesus teria durado cerca de três anos. No primeiro ano, o mestre pôde conversar e aprender diretamente com mestres Druidas (mestres na cultura antiga Celta), especialmente o conselho da vida de Karnak localizado no que hoje é a França. Sua visita não foi surpresa a nenhum deles, pois já o esperavam e todos sabiam de sua missão de ativar a memória física do Cristo na Terra, para que ele conseguisse cumprir a sua missão.

Além dos conhecimentos de história, iniciáticos e espirituais, também lhe foi ensinado matemática, astronomia, filosofia, mediunidade, energias e tudo mais que fosse útil.

Passado um pouco mais de um ano, seu tio o buscou e agora o levaria as ilhas Britânicas, mais especificamente para estudar com os Druidas de Winchester, capital do reino naquele momento, onde ele ficaria os restantes dos meses até sua viagem completar três anos.

Assim, voltou à Palestina com cerca de quinze anos e já com conhecimentos de um mestre Druida, com todos os seus conhecimentos herméticos – já como um sábio.

Uma segunda possibilidade diz que essas viagens na verdade foram bilocação – fenômeno de estar em dois lugares ao mesmo tempo – e que Jesus não precisou sair de sua rotina para cumprir tal roteiro.

Perto de seus quinze anos de idade um fato marcante na vida de Jesus. Devido à queda de um mastro, enquanto trabalhava na residência do governador, José ficou seriamente ferido e a notícia chegou a Jesus rapidamente. Assim que soube foi para casa avisar a sua mãe, que pediu que ele ficasse ali e foi ao encontro do marido junto com seu outro filho, Tiago. Infelizmente, quando chegaram lá José já estava morto. Seu corpo foi então, levado a Nazaré onde foi enterrado junto aos seus pais. Jesus então assume por alguns anos como "homem da casa" e todas as responsabilidades que vem com o "cargo".

Logo depois do fim de sua adolescência, Jesus já se prepararia para ir ao Egito, onde já esperava sua presença um grupo de sacerdotes de uma ordem secreta milenar desde o começo da civilização terrestre, em contato com os mestres Melquizedek e instrutores planetários.

Jesus passaria alguns anos se instruindo nos diversos templos Melquizedeques no Egito. Dizem que ali, seria o local onde ele viria a conhecer sua, então, suposta futura esposa, Maria Madalena, pois ela era uma sacerdotisa Melquizedek da ordem de Isis nesse país.

Os evangelhos gnósticos narram Maria Madalena como a mais inteligente e sábia de todos os Apóstolos, com conhecimentos muito acima dos demais, o que geraria ciúmes e intrigas entre os outros. Mas deixemos essa análise para daqui a pouco.

Agora temos um Jesus nos seus vinte e cinco anos aproximadamente, já um mestre nas três sabedorias herméticas da época, que se preparava para uma viagem ao oriente saindo do Egito. A primeira parada de barco foi à Grécia, onde provavelmente se encontrou com os sábios herméticos do Parthenon e logo após foi a Ásia menor. Voltou para a Síria, seguiu pela então Pérsia (hoje Iraque), depois Irã, Paquistão, chegando finalmente à Índia, seguindo logo após, ao Nepal e Tibete, onde teria tido encontro com as cidades intraterrenas de Shambala e Agarta. Sempre com o intuído de ser iniciado, estudar e trocar conhecimentos com os mestres locais.

Sendo assim, Jesus termina seu período de estudos e preparação já chegando aos seus trinta anos de idade, quando resolve voltar para a Palestina e começar uma nova etapa na sua vida.

Há também uma vertente que diz que todas essas viagens aconteceram somente entre seu vigésimo oitavo e vigésimo nono ano de vida, até completar trinta anos e que até esse momento Jesus morou em Nazaré.

Nesse período de dois anos há relatos de discursos de Jesus por toda a região sobre assuntos complexos de consciencial cósmica, universal e multidimensionalidade - obviamente de acordo com a linguagem e compreensão da época.

PREPARANDO-SE PARA A MISSÃO

Perto de seus trinta anos, Jesus fez uma viagem interessante. Passou algumas semanas em retiro no monte Hermom, no caminho para Damasco – hoje Norte de Israel. Foi ali que, em meditação, fez os ajustes finais para a missão que estava por vir. Recebeu todas as informações que precisava (*download*) e teve a certeza de sua missão e de como atingi-la.

No final do seu retiro na última semana, entrou em contato com seus adversários políticos no universo local, Nebadon, como Joshua (Jesus) encarnado na Terra pela primeira vez. Eles eram Satã (representando Lúcifer) e o antigo governador planetário Caligastia. Eles estiveram ali presentes, se materializaram para Jesus e eles puderam conversar cara a cara. Essa seria a provação final dele, visto que os dois convidados tentaram persuadi-lo de todas as maneiras mostrando seu lado da história. Na verdade, Satã e Caligastia questionavam a liderança de Miguel (consciência maior de Jesus encarnado) no Universo local – o motivo principal da Rebelião de Lúcifer. Os argumentos agora eram apresentados a ele ali, encarnado e com a experiência humana.

Jesus não mudou seu pensamento e seu posicionamento. Diante das diversas propostas e tentativas de negociação, ele apenas reforçou a sua lealdade ao seu "Pai do Paraíso" e a conversa chegou ao fim.

Jesus então deixa seu retiro e começa sua peregrinação como Mestre – muito conectado com sua essência e mudado, inclusive, em sua expressão facial. Em outras palavras, desperto.

O BATISMO

Pouco após seus trinta e um anos completos e de seu retiro recém-começado, ocorreu um dos fatos mais marcantes na vida de Jesus:

seu Batismo por João. Todos já conhecem a história, mas não o que está por trás dela.

Naquele momento João serviu como um doador de ectoplasma para o trabalho que seria feito: o ajustamento final frequencial de todos os corpos físicos, energéticos e espirituais de Jesus para que a sua missão fosse feita da melhor forma possível. Ou seja, uma iniciação. E isso foi feito.

No momento do Batismo, seus corpos multidimensionais foram desdobrados e do corpo Mental Superior para baixo, o ectoplasma de João e de quem assistia a cerimônia foi utilizado para os ajustes materiais. Do Mental Superior para cima, todos os ajustes multidimensionais foram feitos pela equipe que o amparava cem por cento do tempo em todos os níveis, realidades, tempos e universos.

Quando do término dos ajustes, que durou poucos segundos de nosso tempo, Jesus volta outra pessoa, com uma clareza total de pensamentos e com sua intuição, mediunidade e ligação com sua consciência de Filho Criador (acima do EU SOU, Monada e Supra-Monada), ou engenheiro sideral, cristalina e consciente.

A MISSÃO

Falamos a pouco na diferença intelectual de Maria Madalena para os demais Apóstolos, o que teria gerado ciúmes, principalmente em Pedro. Maria Madalena era uma sacerdotisa Melquizedek que teria também feito parte da Ordem de Isis. Ela que defendia uma prática de "sexo alquímico", o qual poderia ser a origem de sua absurda fama de prostituta, descrita em alguns textos, por pura e simples ignorância da época e perpetuado pela Igreja Católica por motivos de controle da energia sexual - a mais ponderosa do ser humano. Motivo também de não revelar o relacionamento de Jesus com ela.

Segundo o Evangelho de Filipe (apócrifo), Jesus beijava Maria Madalena na boca por diversas vezes ao dia o que reforçava o ciúme em alguns dos Apóstolos.

Durante sua peregrinação pela Palestina, Jesus dedicou boa parte de seu tempo preparando os Apóstolos para o trabalho que estaria por vir quando ele não estivesse mais ali. Obviamente que não contou detalhes de seus planos aos doze companheiros. Acredito que nem Maria Madalena tinha todas as informações. Eles estavam sendo preparados fisicamente, mentalmente e espiritualmente para sua missão de vir espalhar os ensinamentos de Jesus e perpetuar suas palavras para inserir a alta vibração no inconsciente coletivo, liberando a humanidade da Matrix de controle instalada.

CRUCIFICAÇÃO

Jesus utiliza-se da então chamada "Última Ceia" para se despedir dos Apóstolos, mas os registros do evangelho quanto a sua prisão, seu julgamento e crucificação são, no mínimo, duvidosos. Os fatos históricos e costumes da época contradizem e muito o relatado.

Quanto de sua prisão é extremamente difícil – para dizer o mínimo – que Jesus tenha sido preso e apenas alguns dias depois tenha sido julgado, condenado e executado. Isso porque o costume da época era de que o julgamento fosse feito há alguns meses após a prisão, para então tomar uma decisão e a execução ser decidida, aí sim, logo após. Existem ainda vários detalhes menores como a necessidade de testemunhas, dois julgamentos e outros costumes da época.

FIGURA 53: A Santa Ceia, por Philippe de Champaigne. Fonte: Internet.

A única explicação que os historiadores encontram é que o relato do evangelho, assim como em outros casos - como a criação do universo, por exemplo, tenha se comprimido o tempo com o intuito de contar a história.

Podemos especular quanto quisermos sobre a crucificação de Jesus, desde o que está escrito na Bíblia tradicional que temos, até nos evangelhos apócrifos e relatos de canalizações. Mas, no fundo, eu pessoalmente sempre tive dificuldade de acreditar por completo nesse episódio, por diversos motivos. O juiz final, como sempre falo, é o nosso sentimento quanto a alguma coisa e o meu quanto a isso ressoa mais com a versão que vou apresentar. Até porque, depois de um pouco de investigação conseguimos chegar à mesma conclusão com a nossa razão.

A crucificação é um dogma enraizado há mais de dois mil anos na população mundial. Qualquer igreja Cristã que você entre, está lá a cruz e muitas vezes, não por acidente, o Cristo crucificado, morto, sangrando, para "nos lembrar de nossos pecados". A manipulação corre solta.

Sendo assim, é extremamente difícil desconstruir essa história que nos foi inventada e, pela nossa própria cocriação coletiva, agora existe holograficamente no astral. Sim, apesar da crucificação nunca ter acontecido realmente na história terrena como foi descrita, ela foi cocriada no astral e agora existe sim. Agora, temos as duas realidades plasmadas. Por isso, a dificuldade de investigar a "verdade" nisso tudo.

Assim sendo, ao analisar o próprio relato dos evangelhos sobre o caso, considerando a tradução e versão que temos em casa, há várias contradições e também relatos que nãovão ao encontro a documentos históricos de costumes de crucificações na época.

Algumas chegam a ser um insulto histórico.

O fato de que Maria Madalena e Maria, mãe de Jesus, tivessem acompanhando a crucificação desde os pés do Cristo junto com mais pessoas é um absurdo. Não existe a menor possibilidade histórica e factual de que as autoridades romanas compactuariam com esse acontecido. Os relatos dizem que as pessoas não chegavam nem perto dos crucificados, que eram dezenas (quando não centenas) por vez e não somente três ou quatro.

Pior ainda é o fato de terem entregado o corpo de Jesus à sua família logo após a crucificação. Relatos históricos dizem que os corpos eram jogados em valas e enterrados, pois todos eram considerados criminosos - perigosos para a sociedade - e eram tratados como tal, além de servir de lição para os demais. Mas principalmente para que a tumba do crucificado não se torne local de adoração ou homenagens.

Jesus foi sim julgado seguindo as leis locais, assim como, condenado e crucificado, mas com trinta e seis anos de idade no ano 30 dC. Entrtanto, antes de sua morte que demoraria alguns dias para acontecer, devido ao processo natural de crucificação, José de Arimateia subornou os guardas do plantão da noite (algo bem comum na época) e retirou Jesus da cruz ainda vivo, o levando para sua casa em segurança onde permaneceu alguns dias até a recuperação total.

Enquanto isso, ele era dado como morto junto com dezenas de outros crucificados na mesma leva, onde os corpos eram jogados em valas e enterrados ali mesmo.

PÓS-CRUCIFICAÇÃO

Jesus após sua recuperação reaparece para alguns apóstolos na sua despedida final, em alguns casos por bilocação e não pessoalmente. Sim, aquilo que temos como ressurreição, na verdade é Jesus se despedindo e juntamente com sua família - Maria Madalena e seus filhos - seguiria para o Egito.

Chegando ao Egito, Jesus e Maria Madalena se estabelecem localmente perto de Alexandria. Após ter sua identidade questionada por algumas vezes, Jesus então decide deixar sua família para que sua segurança fosse garantida e assim o fez.

Diz-se que Jesus teria rodado o mundo, conhecido da época, passando pela Grécia, Índia e alguns autores até dizem China. Sempre em retiros e com o auxílio de mestres e iniciados da época que sabiam muito bem quem ele era. O motivo desse feito seria a continuação do ancoramento de energia planetária para as futuras gerações, inclusive a nossa. Sim, devemos em parte a ele essa era do Despertar que vivemos agora - inclusive na expressão de que "Jesus está voltando". Na verdade, o que volta à Terra e a energia Crística do Despertar verdadeiro.

Já Maria Madalena, dizem que depois de alguns anos no Egito, após seus filhos atingirem a idade de constituir sua própria família, teria ido a França aonde veio a desencarnar anos depois. Sua comunicação com Jesus era constante por causa do já mencionado recurso de bilocação.

Os evangelhos contam que após a suposta crucificação do Cristo e de sua subida "aos céus", Pedro e alguns Apóstolos montaram uma casa de atendimento ao público - ainda se escondendo das autoridades romanas.

Mais tarde o então Saulo de Tarso se tornaria Paulo - o novo apóstolo - após ter uma suposta visão de Jesus no caminho para Damasco (Holograma? Bilocação?), o que o teria feito se transformar de perseguidor ávido de cristãos, para o mais apaixonado seguidor de Jesus.

O então cosmopolita, viajado, culto e rico Paulo, apesar de ter sido rejeitado pelos demais no começo, teria sido o apóstolo que teve a ideia de levar as palavras de Jesus para além da Palestina. Atravessar o Mediterrâneo e conquistar o mundo, dedicando sua vida, então, para que isso acontecesse, sendo assim o verdadeiro fundador da Igreja - e não Pedro, na minha humilde opinião.

CONCLUSÕES FINAIS DA HISTÓRIA DE JESUS

É fundamental ter em mente que nenhum dos relatos desse capítulo tem a pretensão de ser a verdade absoluta. Apenas nos servimos de diversas fontes de pesquisa para fazermos pensar que talvez tenhamos mais de uma versão para uma história que nos é contada há dois mil anos.

O pesquisador, dono da versão final dessa história, é você.

NIKOLA TESLA

O grande homenageado deste livro não poderia deixar de ter um capítulo seu. Espero que as informações aqui contidas sejam suficientes para que você pesquise mais sobre essa figura ímpar e tão recente da história da humanidade.

As curiosidades e as polêmicas envolvendo a figura de Nikola Tesla já começam desde o seu nascimento.

A história conta que Nikola Tesla nasceu na aldeia de Smijan durante o Império Austríaco, hoje na atual Croácia, no dia 10 de julho de 1856. Seu pai seria um padre da igreja presbiteriana chamado Milutin Tesla e sua mãe chamava-se Duka Mandici. Nikola seria o quarto de cinco filhos do casal.

Mas o FBI – a polícia federal dos Estados Unidos – tem uma versão diferente.

Através da lei de liberdade de informação, a qual autoriza a publicação após cinquenta anos de documentos então tidos como "classificados" ou confidenciais, três documentos sobre Nikola Tesla foram recentemente publicados nos arquivos públicos do FBI (https://vault.fbi.gov/nikola-tesla) com mais de 350 paginas (arquivo #100-2237, #100-3674 e #65-12290). Infelizmente, por razões de "segurança nacional", algumas partes desses documentos estão ainda censuradas, mas o que vemos é suficiente para nos deixar de "queixo caído".

A principal especulação do documento oficial do governo americano é que Nikola Tesla seria um ser originário do planeta Vênus. Sim, você leu direito. Um documento oficial do FBI especula que Tesla tenha sido um extraterrestre que nasceu em Vênus.

O documento diz que Tesla nasceu em Vênus e que teria sido trazido ainda bebê para a Terra por volta do ano de 1856 (portanto alguns meses de vida) e deixado na casa de seus pais.

Esse documento do FBI traz várias informações interessantes sobre a vida de Tesla, mas a mais chocante seria essa já do seu nascimento e sua origem. Segue abaixo o texto do documento original na sessão 3 intitulada "Interplanetary newsletter" ou "notícias interplanetárias" numa tradução livre.

Margaret Storm has been assigned to certain work with the Space People, as follows: She is writing a book - Return of the Dove - a story of the life of Nikola Tesla, scientist, and the part his inventions will play in the New Age. Much of the data for this book has been supplied to Mrs. Storm through transcripts received on the Tesla set, a radio-type machine invented by Tesla in 1938 for Interplanetary Communication. Tesla died in 1943 and his engineers did not build the Tesla set until after his death. It was placed in operation in 1950 and since that time the Tesla engineers have been in close touch with space ships. The Space People have visited the Tesla engineers many times, and have told us that Tesla was a Venusian, brought to this planet as a baby, in 1856, and left with Mr. and Mrs. Tesla in a remote mountain province in what is now Yogoslavia.

FIGURA 54: texto original do FBI dizendo que Tesla teria vindo de Vênus.

O texto grifado acima diz: "Seres do espaço visitaram os engenheiros da Tesla (empresa criada por Nikola) muitas vezes e nos contaram que Tesla era um venusiano, trazido a esse planeta como um bebê em 1856 e deixado com o Sr. e Sra. Tesla numa montanha remota numa província em que hoje é a Iugoslávia (na época do texto, hoje Croácia)".

O documento também explica que os engenheiros da empresa criada por Tesla, construíram um equipamento capaz de fazer comunicação interestelar baseado nos projetos de Nikola datado de 1938 e que falavam então, a partir de 1950 (depois de sua morte), com seres de diversas naves espaciais e um deles teria contado essa história.

Esse documento então aborda, em poucas palavras e em pouco espaço de tempo, alguns assuntos importantes: confirma a existência de tecnologia de comunicação com extraterrestres desde, pelo menos, 1938. Isso confirma a existência de vida extraterrestre mais uma vez, e ainda especula a origem alienígena de um dos maiores gênios da história da humanidade.

Teoria da conspiração é só pra quem não quer estudar e pesquisar mesmo. Bom, venusiano ou não, continuemos com sua história aqui na Terra.

Nikola teria tido uma infância muito difícil no que tange sua saúde. Ficou doente por diversas vezes, muitas sem razão aparente. Tinha "alucinações" onde luzes apareciam e desapareciam a sua frente, muitas vezes o deixando temporariamente sem visão. Mais tarde, numa entrevista ao jornalista John Smith da revista "Immortality" em 1899 viria dizer que a doença "é o resultado de exaustão excessiva ou força vital, mas é frequentemente a purificação da mente e do corpo das toxinas que se acumularam. É necessário que um homem sofra de tempos em tempos. A fonte da maioria das doenças está no espírito. Portanto, o espírito pode curar quase todas as doenças".

Ele se formou em Engenharia Elétrica no Politécnico Austríaco em 1875, local onde começou seus estudos sobre a corrente elétrica alternada. Começou seus estudos na Universidade de Graz, para largá-lo no primeiro semestre do terceiro ano. No final de 1878 quebrou todas as relações com sua família, ao ponto de alguns de seus amigos pensarem que ele tinha morrido, mas mudou-se para a Eslovênia onde arrumou seu primeiro emprego como assistente de engenharia - por um ano.

Após sofrer um esgotamento nervoso, retomou relações com sua família e foi convencido pelo seu pai a frequentar a Universidade Carolina, em Praga, no ano de 1880, mas após a morte de seu pai um ano depois ele teria deixado os estudos mais uma vez.

Mudou-se para Budapeste e trabalhou mais um tempo na Companhia Nacional de Telefones, onde teria inventado como eletricista chefe, o primeiro alto-falante da história.

Foi para Paris, França, em 1882 e conseguiu um emprego na então "Continental Edson Company", ficando até 1884 quando resolveu ir para Nova Iorque, nos EUA. Lá foi contratado para trabalhar com Thomas Alva Edison, começando como instalador de lâmpadas, progredindo rapidamente para serviços mais complexos, projetando vinte e quatro tipos de máquinas diferentes em pouco tempo. Todas foram utilizadas pela empresa de Edison de imediato.

Foi nesse momento que Nikola fez uma proposta para Edison, na qual ele iria reprojetar completamente a área de geradores elétricos de corrente contínua da empresa. Edison, então, teria dito que ele teria 50 mil dólares se conseguisse realizar a façanha. E ele conseguiu, só que para sua surpresa, não recebeu o dinheiro. Ao invés disso, teve um aumento em seu salário de 10 dólares semanais. Tesla recusa o aumento e se demite.

Sem dinheiro, Nikola começa a trabalhar como cavador de valas nas ruas de Nova Iorque para sobreviver. Ironicamente, as valas que cavava era exatamente para instalações da companhia Western Union, onde rapidamente perceberam sua potencialidade e conhecimento.

Foi então que em 1897, com a ajuda financeira dos recentes colegas, Nikola funda a Tesla Eletric Company. Infelizmente, devido a uma diferença de visão dos negócios da empresa, o apoio financeiro foi retirado e Tesla acabou sem lucro na sua empreitada.

Esse foi o marco da então conhecida "guerra das correntes", onde Tesla demonstrava a eficácia da corrente alternada, versus a lucrativa e consequentemente melhor aceita pelos empresários, corrente contínua.

Para entender a diferença entre as duas correntes, a revista Superinteressante do dia 4 de julho de 2018 publicou o seguinte:

> *A diferença é o sentido da tal corrente. Uma corrente elétrica nada mais é que um fluxo de elétrons (partículas que carregam energia) passando por um fio, algo como a água que circula dentro de uma mangueira. Se os elétrons se movimentam num único sentido, essa corrente é chamada de contínua. Se eles mudam de direção constantemente, estamos falando de uma corrente alternada. Na prática, a diferença entre elas está na capacidade de transmitir energia para locais distantes. A energia que usamos em casa é produzida por alguma usina e precisa percorrer centenas de quilômetros até chegar à tomada. Quando essa energia é transmitida por uma corrente alternada, ela não perde muita força no meio do caminho. Já na contínua o desperdício é muito grande. Isso porque a corrente alternada pode, facilmente, ficar com uma voltagem muito mais alta que a contínua, e quanto maior é essa voltagem, mais longe a energia chega sem perder força no trajeto.*

Se todos os sistemas de transmissão fossem em corrente contínua, seria preciso uma usina em cada bairro para abastecer as casas com eletricidade. O único problema da alta voltagem transportada pela corrente alternada é que ela poderia provocar choques fatais dentro das residências. "Por isso, a alta voltagem é transformada no final em tensões baixas. As mais comuns são as de 127 ou 220 volts", diz o físico Cláudio Furukawa, da USP. Portanto, a corrente que chega à tomada de sua casa continua sendo alternada, mas com uma voltagem bem mais baixa. Já a corrente contínua sai, por exemplo, de pilhas e baterias, pois a energia gerada por elas, usada nos próprios aparelhos que as carregam, não precisa ir longe. Também há muitos equipamentos eletrônicos que só funcionam com corrente contínua, possuindo transformadores internos, que adaptam a corrente alternada que chega pela tomada.

Finalmente, em 1887 Teslas consegue um contrato e vende sua patente da corrente alternada a George Westinghouse, o qual convenceu o governo americano a adotar a modalidade de Tesla para as correntes no país – a qual, por sinal, é usada até hoje. Portanto, Nikola no final vence a "guerra das correntes" – apesar de não ter sido remunerado à altura por isso.

A partir daí, Nikola Tesla passa a viajar pelos Estados Unidos com inventos e ideias para a melhor utilização da corrente alternada e de novas descobertas que viria a fazer. Como, por exemplo, O motor elétrico, dentre outras centenas de patentes revolucionárias no campo da engenharia elétrica, dentre elas a comunicação sem fio (sim, o que chamamos de *wireless* ou *wifi*) já naquela época, a lâmpada fluorescente e o controle remoto por rádio.

Além da invenção mencionadas mais acima que possibilitou a comunicação de seus engenheiros com seres de outras orbes, uma outra patente é tida como seu principal feito: a energia elétrica sem interrupções, sem fim, a partir de uma fonte livre, ou seja, do "éter". Em outras palavras, energia elétrica de graça, sem limites, sem fio, para o mundo todo.

A sua peculiar infância, sua genialidade desde pequeno, sua capacidade extrassensorial e o peso desse corpo, nessa dimensão, podem ter contribuído, não somente para a manifestação de sua genialidade entre nós, mas também, para sua excentricidade.

Algumas curiosidades do homem Nikola: ele abominava o contato físico, especialmente em tocar cabelos. Considerava pérolas horríveis, então pedia para suas assistentes não usarem nada desse material. Qualquer ação repetitiva em seu dia (como passos) deveria ser divisível por três. Vinte e sete era seu número preferido, pois é três ao cubo. Ele calculava exatamente o peso da sua comida antes de ingeri-la. Tesla amava pombos.

A genialidade sempre vem acompanhada com uma pitada de "loucura", não é mesmo?

FIGURA 55: Nikola Tesla.

REFERÊNCIAS

As referências abaixo são somente de livros e a ordem em que se encontram não possui nenhuma lógica quanto à importância. Além disso, o material disponível pode estar em inglês ou em português.

Todas as demais referências digitais com os devidos *links* de acesso, como vídeos, matérias, *websites* e pessoas encontram-se no endereço: **http://www.fabsantos.com/referencias**

Livro: ***A Resposta para Tudo***
Autor: Fabio SantoS
Assunto: Espiritualidade em geral

Livro: ***O livro de Urantia***
Autor: Variados
Assunto: Espiritualidade em geral

Livro: ***Extra-Dimensionals***
Autor: John Desouza
Assunto: Investigações extraterrestres

Livro: ***ClearHealers***
Autor: John Desouza
Assunto: Paranormalidade

Livro: ***The Para-Investigators***
Autor: John Desouza
Assunto: Investigações paranormais

Livro: ***The SourceField investigations***
Autor: David Wilcock
Assunto: Espiritualidade em geral

Livro: ***The ascensionmysteries***
Autor: David Wilcock
Assunto: Espiritualidade em geral

Livro: ***Os abduzidos***
Autor: Robson Pinheiro
Assunto: Espiritualidade em geral

Livro: ***O evangelho de Filipi***
Autor: Filipi
Assunto: Evangelho apócrifo

Livro: ***O evangelho de Maria Madalena***
Autor: Maria Madalena
Assunto: Evangelho apócrifo

Livro: ***O livro de Enoque***
Autor: Enoque
Assunto: Evangelho apócrifo

Livro: ***O segredo da Flor da Vida Vol. 1 e 2***
Autor: Drunvalo Melchizedek
Assunto: Geometria Sagrada

Livro: ***Secret Space Programs&ExtraterrestrialAlliances***
Autor: Dr. Michael Salla
Assunto: Governo Secreto

Livro: ***A Bíblia não é um livro sagrado***
Autor: Mauro Biglino
Assunto: Bíblia

Continua em **http://www.fabsantos.com/referencias**

Webpage: **http://www.fabsantos.com**

Instagram: **@espiritualidadeindependente**

YouTube: **Espiritualidade Independente por Fabio SantoS**

Facebook:**http://www.facebook.com/espirituindepen**

Made in United States
Orlando, FL
30 December 2024

56707716R00168